天下文化
BELIEVE IN READING

錯把太太當帽子的人

最會說故事的神經科醫師

奧立佛・薩克斯 著

孫秀惠 譯

王浩威醫師・劉絮愷醫師 審訂

The Man Who Mistook His Wife for a Hat

錯把太太當帽子的人

第二部　過度

第三部　神遊

第四部　心智簡單者的世界

序

「心智」的另類探索與書寫

劉絮愷

這是一本特別而有趣的書，特別的是它開啟了另一種醫學書寫的方式，有趣的則在它所呈現出來的人類精神狀態之複雜瑰麗。書中的主角，均是因某種疾病而喪失了某種特殊神經心理功能的「殘廢者」：「辨識不能」，完全無法辨識人臉，無法將自己見到的細節，整合為有意義的整體；記憶的喪失，完全無法記住新的事物，被閉鎖在時空橫斷面中，沒有過去、未來，只有現在；喪失了對自己身體的本體感覺，無法感覺到發生在自己身上的「事件」，不知道自己的身體各部分位於何處，在做什麼；無法控制自己的動作，不斷地被外界資訊干擾，自動地重複著周遭的人的動作；一輩子沒用過手，突然之間意識到手的存在，困難而笨拙地從頭開始學習自己動手；喪失了半邊的視野，世界就以「半邊」的方式存在。

這些「症狀」在古典神經學文獻中，其實都已被詳細地描述過，但本書絕不是這些醫學文獻的通俗版。通往正統醫學文獻的書寫傳統中，在詳盡地描述「症狀」，並將之放入既有的理論架構中之後，便告功德圓滿。至於這樣的缺陷如何很根本地改變了一個人；這個人在完全不同的心智運作程序下，如何繼續和這個世界互動，則不是其興趣所在及視域所及。

這樣的傾向，深植在我們對人類心智研究的經驗主義傳統中。

全新的心靈運作方式

十九世紀中，大腦被稱為智慧之王座、無可企及的深淵。神經學的主要興趣在於探討大腦各部與種種功能間的關係，其研究方法的原型即是失語症。當布洛卡發現了大腦特定區域的傷害，可引起某種特殊心智功能（語言）的全面喪失後，對不同部位之腦傷所造成的特殊表現，便成為古典神經學探索的重點所在。

在這樣的概念下，人類的心靈運作被視為是由不同的「官能」所組合而成的。各種官能自有其機轉及法則，可能也對應於腦部不同的區域。這種有機的「定位論」雖然在累積了更多知識後幾經修正，但其基本想法仍隱隱影響著對人類心靈的看法：人類的心靈基本是具精密機械，可以藉由對個別功能的具體測定，再將之組合，便能逼近真實的運作，相應的趨勢則是對這些功能評估時的細密化及數量化。通俗觀念中的人類心靈，被分割解析為實驗室中的指標與數量，與真實世界間的直接聯繫消失了。

相對於此，本書的意圖在於建構一套更全面關照人類心靈運作法則的統合性看法。因此，在作者薩克斯醫生的筆下，種種現象不再是神經學教科書中獨立存在的、靜態的「癥候」，而是實際在影響著病人真實世界的動態力量。在一些構成人類心靈最基本的元件喪失之後，人如何以完全不同於個人既往的經驗與方法，去和外在世界互動？在原有「內在」世界崩解後，人如何出現新的統合性功能，將有「缺損」的心靈機器整合，繼續上路？

這就是本書最迷人之處，在它所描寫的異象奇觀之外，人在神經功能喪失後，出現了連專家都會瞠目結舌的全新心靈運作方式，這其實是極富啟發性的。暗示著人體更高整合功能所擁有的超乎意志之外的自動代償潛能，由此凸顯出傳統神經學視域及方法論之有限，及現有神經生理學與人類學實存現象界之間的鴻溝。作者跳脫了局限的、只注意「症狀」的窠臼；反之，他豐富了其在臨床觀察及詮釋上的全面性，使我們得以更深入思索所謂「人類心智」存在的狀態及意涵。

（本文作者為亞東紀念醫院精神科主任）

自序

「心」天方夜譚的創造與源起

「一本書最後完成的部分，」巴斯卡觀察說，「其實是作者當初就該放進去的。」所以，寫了這些奇怪的故事，蒐集、整理完畢，也選定篇名和兩段引言，現在是我檢驗成果，也是檢視自己動機的時候了。

引言中的一語雙關，以及它們之間的對照，事實上，也就是麥肯齊所描述的醫生和自然學家之間的不同，正符合了我本身某種的雙重性：我覺得自己是自然主義者，也是個醫生；對疾病與對人同感興趣；或許，我也是個理論家兼劇作家，儘管不甚稱職；科學的事物與浪漫的事物同樣吸引我，我也不斷在人們的身上看到這兩種特質；在疾病中，依然看到人之所以為人的精髓所在——動物會染患疾病，但唯有人才會身陷病態之中。

我的工作，我的生活，都是與生病的人為伍，然而，病患和他們的病況，促使我去思想。若非在這種環境當中，我可能不會想得這麼深刻。見到這麼多的疾病，讓我不得不提出與尼采同樣的問題：「談到疾病，我們豈不是幾乎都曾偷偷地問自己，沒有疾病，我們還活得下去嗎？」我也被迫將疾病所引發的問題，視為自然中的基本原理。我的病人不斷促使我去問問題，而我的問題，也常常將我帶到病人那裡。所以，接下來的故事和研究，存在著一個接著一個的進行式。

探究病人背後的故事

研究是必要的，為什麼還要講故事、談病例呢？希波克拉底提出了病史的觀念，認為疾病從發病到症狀最厲害或最危險的階段，以至於恢復健康或不幸致命，這中間乃是一個過程。他因此引進了病歷，也就是對於疾病自然發展過程的描述或呈現。病理（譯注：字源有途徑、過程的涵義）一字當初的意義，恰如其分地表達了這個觀念。病史也是自然歷史的一種形式，但它告訴我們的不是一個人和他的歷史；病史毫不涉及患者本身，從中我們看不到這個人面對疾病的奮鬥、求生經驗。

在狹隘的病歷中，並無「主體」；現代的病史，提到患病的主體時，只是一筆帶過，例如，「第二十一對染色體白化症女性」。但簡單一句話，可以用在人身上，也可以拿來形容老鼠。要恢復以人做為中心主體——承受痛苦、折磨，與疾病抗爭的那個人——我們必須加深病歷的深度，使其成為一篇敍事或故事；只有這樣，我們才能看到「病人」又看到「病症」，看到一個真實的人、一名病患與疾病的關係，以及與肉體的關係。

高層次的神經學和心理學，與病患的本質密切相關，因為患者的個人特性融於這類疾病之中，所以研究疾病與研究本人是分不開的。看待這類疾病，以及如何呈現它們、研究它們，的確需要新的學問，我們或可稱之為「自我身分的神經學」，因為它所要面對的是自我身分的神經基礎；是腦與心智最古老的問題。

或許，在生理和心理之間，基於某些需要，必須有界限、加以分門別類；但是研究和故事卻自然而然關係到兩方面，而且無法加以切割，也就是這一點讓我深為著迷，也是我整本書所要呈現的。透過故事可以拉近兩者的距離，引領我們到機械與生命交會之點，讓我們看到生理的歷程對人一生的關係。

具有豐富人文色彩的醫學故事傳統，在十九世紀到達高峰，接著就衰退了，起而代之的是無個人性的神經學。盧力亞寫道：「常見於十九世紀，神經學家與精神學家所擁有的敍述能力，如今幾乎蕩然無存……必須加以重振。」他最後的一些著作，例如《記憶大師的心靈》、《活在分崩離析世界裡的男人》，都試圖回復這個失去的傳統。

因此，本書中的個案病史，也是回到古老的傳統：回到盧力亞所言的十九世紀傳統；回到第一位醫療史家希波克拉底的傳統；也是回歸普世和史前的傳統，當時病人總是把他們的故事告訴醫生。

帶有傳奇色彩的生命旅程

古老的傳說總是有英雄、受害者、暴君、戰士等固定的人物。神經科的病人可以囊括所有的角色，在本書所說的奇異故事中，他們扮演的角色還更多。我們如何以這些神祕或比喻的名詞來區分「迷航水手」，或者書中其他奇怪的人物？我們或許可說他們是迷思的旅行者，到了一個若沒有生病就無法了解、無法想像的地方。

這是為什麼他們的生命和旅程，讓我感覺帶著傳奇色彩，也是我之所以用奧斯勒的《天方夜譚》的意象來當引言，而且必須一邊談病例，一邊說故事的原因。科學和浪漫，在這方領域嘶喊著要彼此貼近，盧力亞喜歡說這是「浪漫的科學」。兩者在事實與傳說的交會中結合，也點出了本書中每個患者的生命特質。

然而，多麼特別的事實！多麼奇異的傳說！我們拿什麼來跟它們相比？可能現今世上無任何模式、隱喻或神話足以形容。或許時間久了，會有新的意象、新的神話出現。

本書中有八篇文章曾經登載過：〈迷航水手〉、〈天生我手必有用〉、〈數字天才寶一對〉、〈自閉畫家的心路歷程〉刊登在《紐約時報書評》。〈鬼靈精怪的小雷〉、〈錯把太太當帽子的人〉、〈迴盪腦中的兒時記憶〉登載於《倫敦書評》，最後一篇比較短的版本，篇名是〈音樂耳〉。〈麥貴格的平準眼鏡〉刊登在《科學》雜誌。我很早期對一個患者的描述，可以在本書〈六十三歲的阿飛少女〉中找到（最早是以〈左多巴引發之不可抑遏的鄉愁〉之名，刊登在一九七〇年春季號的《刺絡針》季刊）。關於四個〈「割」劇魅影〉的故事，前兩個曾出現在《英國醫學期刊》的「診所軼聞」中。兩篇短篇故事〈被一條怪腿糾纏的男子〉和〈希德格的異象〉則分別出自已出版的《偏頭痛》與《單腳站立》裡。其餘十二篇不曾出版過，皆完成於一九八四年的秋冬。

謝謝所有幫助過我的人

我要特別向本書編輯致上謝意：首先是《紐約時報書評》的西佛和《倫敦書評》的魏莫；還要感謝紐約高峰出版社的席伯曼，以及倫敦杜克沃斯出版社的海卡夫，他們為這本書下了許多潤飾的工夫。

在我的神經科的同業中，我要特別感謝馬丁醫生，我讓他看了「克莉斯汀娜」和「麥貴格」的兩卷錄影帶，並且與他就〈靈魂與軀體分家了〉和〈麥貴格的平準眼鏡〉兩篇文章做了完整的討論。

感謝克雷姆醫生，他是我過去在倫敦的上司，他對《單腳站立》提出了非常類似的例子，收錄在〈被一條怪腿糾纏的男子〉一文中。

感謝馬克雷醫生，他那個視覺辨視失能的精采例子，很有趣的與我自己的病例相應和，他是在我文章寫成兩年之後，無意間發現這個病例。我在〈錯把太太當帽子的人〉的後記裡，引用了他的發現。

我也要對我在紐約的好友兼同事羅蘋致謝，她與我一起討論了許多病例，介紹我認識克莉斯汀娜（那位「靈魂與軀體分家了」的女子），她也與自閉畫家荷西相識多年，從他小時候就認識了。

我更要對患者的慷慨與無私的協助（某些例子是患者的親人提供），對本書的貢獻致意。他們知道自己雖然無法直接受益，卻仍允許我，甚至鼓勵我寫下他們的生命故事，希望別人從中有所學習和了解，有一天，或許有能力對症治療。就像《睡人》一書一樣，本書中的名字和場景細節都經過修改，這是為了病人的隱私和專業上的保密需要，但我的目標在於保留這些人生命的基本「感覺」。

最後，我要對我自己的指導老師獻上感謝——比感謝還多的感謝——我將本書獻給他。

談論疾病，是一種天方夜譚式的娛樂。

——歐斯勒（Willlam Osler）

醫生關心的（與自然學家不同）……是單一的器官功能；而病人則是相反的狀況，他們竭力想保存的是其自我身分。

——麥肯齊（Ivy Mckenzie）

第一部

不足

整個神經學與腦神經心理學的發展史，
可以說就是左腦半球的研究史。
忽略右腦或一般稱為「次要」腦半球的原因，
是因為要指出左腦各個部位損傷所帶來的影響較容易，
而屬於右腦的病症，卻不是那麼明顯。
一般人通常草率地認定右腦比左腦「原始」，
而左腦被認為是人類演化下的獨特成果。

導言

具有傳奇故事性的科學

神經學最喜歡的字眼就是「不足」，意含了神經功能上的損傷，或者失去能力的狀況：失去說話能力、失去語言、失去記憶、失去視覺、失去四肢功能、失去自我，以及許許多多特殊功能（或機制）的喪失。這一切功能失常（又是一個常用術語）的狀況，每一種都有其專有名詞：失音、語言不能、失語症、失讀症、運動不能、辨識失能、失憶症、運動失調，每個名詞都有其特別指涉的神經或精神上的功能，而病人因為生病、受傷或是發展上的欠缺，可能部分或全部失去了這些功能。

左腦比右腦高等？

對於腦與心智關係的科學研究始於一八六一年。當時法國的科學家布洛卡發現，語言表達發生障礙的情況，或稱失語症，常常是在左腦某個特別部位受傷之後產生的。這個發現開啟了大腦神經學的領域，也使得經過幾十年後，人類腦部的「地圖」得以繪成，並歸結出各種能力，包括：語言、智力、知覺等在腦部的主要位置。

十九世紀結束前，許多更敏銳的觀察者已經清楚地看到，這樣的繪圖仍嫌太過粗略，因為所有的精神活動都有其複雜的內心建構，也必定有同樣複雜的生理基礎。佛洛依德在其著作《失語症》中，就力持這個觀點。佛洛依德會有這樣的感受，特別是與某些辨識或知覺的障礙有關，他統稱這些病症為「辨識失能」。他相信，對於失語症或辨識失能症充分的了解，將會產生一門更新、更精密的科學。

佛洛依德所預見的腦與心的科學，到了二次世界大戰的俄國，終於在盧力亞、李昂迪夫、安諾金、伯恩斯坦，以及其他人的通力合作之下產生，他們稱之為「神經心理學」。

在盧力亞畢生的投入發展下，這門科學成果斐然，而且從其革命性的分量上來看，流傳到西方的速度仍然慢了一點。他的研究，有系統的開始於一本里程碑著作《人類高層皮質功能》，以及另一本完全不同手法的傳記（病例史）《活在分崩離析世界裡的男人》。雖然這兩本書本身幾乎是無可挑剔，右半大腦功能中，仍有一整片領域是盧力亞未曾觸及的。《人類高層皮質功能》只討論左腦功能的問題；同樣地，《活在分崩離析世界裡的男人》書中的主角查契斯基，則是左腦半球受到巨大的損傷，右腦則完好無損。的確，整個神經學與腦神經心理學的發展史，可以說就是左腦半球的研究史。

忽略右腦或一般稱為「次要」腦半球的原因，是因為要指出左腦各個部位損傷所帶來的影響容易，而屬於右腦的病症，卻不是那麼明顯。一般人通常草率地認定右腦比左腦「原始」，而左腦被認為是人類演化下的獨特成果。從某方面來說是沒錯：左腦比較複雜而分工精細，是靈長類，尤其是人腦最後發展出來的部分。但在另一方面，每個生物生存所不可或缺的認知現實的能力，卻是由右腦所控制。左腦就像一部電腦被嵌入了基本的原型腦中，是用來規畫、設計的；而古典的神經學，比較關心一些運作法則，對真實內容是什麼較不感興趣，也因此，當某些右腦的症狀出現時，專家們就摸不著頭緒了。

述說右腦的故事

過去也有人想探索右腦的症狀，例如一八九〇年代的安東，一九二八年時波吒也做過同樣的嘗試，但這些努力卻莫名其妙地被忽略了。盧力亞最後的著作之一《運作的腦》一書中，以篇幅不長但是具有舉足輕重分量的一章，來探討右腦的問題。他在結尾寫道：

這些仍然未經研究的缺陷，引領我們指向一點最基本的問題——指向右腦在直接意識上的角色……對於這個相當重要的領域，研究卻付之闕如……。想要出版這類的研究……必須以特別一系列的專文，仔細加以分析。

盧力亞後來得了不治之症，在他臨死前幾個月，終於寫了一些文章做探討。他無緣看到這幾篇文章出版，而且它們也不是在俄國國內出版。他把文章寄到了英國，給葛瑞果利，後來出現在葛瑞果利出版的《牛津心智研究專輯》裡。

內在的困難與外在的困境加在一起，讓右腦出現問題的病人想得知他們到底有什麼毛病，不只難上加難，簡直就是不可能。就像巴賓司基所稱的，他們得的是一種奇怪而特殊的「疾病認識不能」（譯注：即無法察覺己身患病）。即使是最具觀察力的醫生，想要觀察這一類病人內在的景況，也是難如上青天。因為這種病跟他過去所認識的其他所有症狀有如天壤之別。左腦的症狀，相對地，比較容易想像。雖然右腦的病症跟左腦一樣普遍，我們卻得看過數千份探討左腦疾病的神經與神經心理的文獻，才找得到一、兩篇討論右腦病症的文章。好像這一類的問題，完全不受神經學的青睞。

然而，就像盧力亞說的，它們卻是根本之鑰。其重要的程度，可能需要一門新的神經學：一門「個人化」的科學，或如盧力亞所稱的，一門「傳奇故事性」的科學。因為在此所要揭露的，是每一個個體的物質基礎，也就是他的自我。盧力亞認為這樣一門科學，最好是以故事的型態導入，詳加描述一個重度右腦障礙的人的病史，而這個病史的描述，恰可以做為《活在分崩離析世界裡的男人》一書的補充與對照。在寫給我的最後一封信中，他說：「發表這類病史吧，即使只是簡單的素描也好。這是個令人驚奇、難以名狀的領域。」我必須承認，自己也深為這類的疾病所吸引，因為它們開啟了一個難以想像的領域（或可能的領域），指向更開闊的神經學與心理學，全然不同於過去拘泥不化又機械性的神經學理論。

對古典神經學提出挑戰

比較起來，我主要的興趣不在於神經系統疾病，而在於一般認定較輕微的功能偏差症狀對自我的影響。這一類的病症可能有多種形式，病因可能出於功能過度或功能不足，所以分開討論似乎比較合適。不過必須在此開宗明義地指出，從來沒有一樣病症會永遠只是功能過度或功能不足。可以說，小至臟器，大至整個人，每當問題出現時，身體總是會有反應，無論用什麼奇怪的方式，都是為了重拾失去的功能，或是加以替代、補充，以保有個體的自我。而醫生的任務，除了解神經系統受損的狀況之外，去研究、甚至影響這些方式，同樣是不可少的。麥肯齊就力陳這樣的觀點：

構成「個別疾病」或一項「新疾病」的東西究竟為何？與自然主義者不同的是，醫生所關心的，不是理論上在一般狀況下都差不多的大範圍的生命體，而是單一個別的對象，也就是在疾病折磨之下，仍力圖保有自我的個人。

如此的動力，如此「力圖保有自我」的力量，不管是用什麼奇怪的方式表現出來，或帶來什麼影響，從很早以前就已經被精神醫學所承認，佛洛依德在這方面貢獻良多。所以，他不把偏執妄想視為疾病的源始，而是把它視為在完全的混亂之下，重新建構世界的企圖（只是不幸走偏了）。麥肯齊也寫了完全相同的一段話：

帕金森症的病理生理學，研究的是一種「有組織的混亂」。混亂的產生，是因為原先重要的統合被破壞了，而重建的過程卻建立在一個不穩定的基礎上。

《睡人》一書所談的，正是由一個症狀多重的疾病所引發的「有組織的混亂」。而本書接下來有多篇文章要談的，也同樣是研究各樣不同疾病所產生的有組織的混亂。

我個人認為在第一部裡，最重要的一個個案是視覺辨識不能：「錯把太太當帽子的人」。我相信這個研究相當重要。這一類的病例，尖銳地挑戰古典神經學一項最牢不可破的定理或假設，尤其是認定腦部的損傷，任何損傷，都會減低或消除「抽象或分類的態度」（葛史汀的說法），使人降格到只有情感與對具象事物認知的層次（傑克森在一八六〇年時，也提出同樣的論點）。但從皮博士身上，我們看到的是幾乎相反的狀況——一個人雖然只是腦部視覺的區域出狀況，卻完全失去情感、具象、個人化或對「真實事物」的感知能力，只認識抽象的、類別性的事物，表現出來的結果是異常的荒謬。傑克森或葛史汀看到這種情形會有什麼說法呢？我常會在想像中，要求他們診斷一下皮博士，然後問他們：「先生們，現在，你們怎麼說？」

第一章 錯把太太當帽子的人

他伸出手，握住他太太的頭，
想要把她的頭拿起來，戴上去。
很明顯地，
他錯把自己老婆當成一頂帽子！
而她的表情看起來，
好像早已對這樣的事見怪不怪了。

皮博士是傑出的音樂家，也是深具知名度的演唱家。他任教於一所音樂學校，就在他和學生相處的過程中，某種怪異的現象開始出現。有時某個學生來到他面前，皮博士卻認不出他是誰；說得精準一點，是無法辨認他的臉。但只要學生一開口，他卻可從聲音認出對方來。類似的小狀況可說層出不窮，讓人既尷尬又困惑，也同時讓人害怕，有時更成了笑鬧劇。

因為皮博士不只愈來愈無法辨識旁人的「臉」，也會把沒有生命的事物看成是「臉」。在街上走著走著，他會以一種和藹的長者般的姿態，輕拍消防栓或停車計時器的頂部，把那玩意兒當成是小孩子的頭；有時，他會輕聲細語地和家具上頭的雕花把手閒話家常，然後在發現對方沒有回應後，一臉錯愕。

剛開始這些奇特的錯誤，總是被一笑置之，皮博士自己也是這麼想的——他向來不就是幽默過人，擅長開一些「白馬非馬」式的荒謬玩笑嗎？他處理音樂的能力依舊精湛；也不覺得有什麼不舒服；相反地，他的感覺好極了。那些怪異舉動實在滑稽，但也滿有創意的，應該不是什麼嚴重的事情，不需要大驚小怪。

直到三年後他罹患了糖尿病，才發現事態嚴重。由於知道糖尿病會侵害眼睛，皮博士向眼科醫生求診，醫生做了詳細病史調查和視力檢查後，做出結論：「你的眼睛沒大礙，但腦的視覺部分恐怕有問題，這方面我幫不上忙，你需要去看神經專科醫生。」經由轉介，皮博士前來求診。

他用耳朵「看著我」

剛見面的剎那，可以明顯看出他並無一般的癡呆症狀，而是一位極有修養、魅力十足、言談舉止適切且流暢的人，還兼具了想像力與幽默感。我無法理解他為何被轉診至此。

不過，他的確有些奇怪的地方。他說話時面對我，感覺是向著我這邊，但又有些不對勁，那種感覺我也說不上來。我突然有個念頭：他是以耳朵面對我，而不是用雙眼。他不像一般人注視對方那樣地「看著我」，而是很奇怪地，雙眼快速轉動，從我的鼻子、右耳、轉到下巴，又移到右眼，好像是留意（說研究也不為過）這些個別部位，卻沒有看到我的整張臉、我臉部表情的變化、我整個人。

當下我不太明白是怎麼回事，只是有種說不出的怪異，沒有人與人交談時該有的目光交會和表情變化。他看著我，他檢視我，到底是……

「你怎麼了？」我終於開口問他。

「我也不曉得，」他微笑地說：「但大家都認為我的眼睛有問題。」

「而你卻不知道自己的視覺有什麼不對勁？」

「我不知道！沒有特別感覺，不過我偶爾會搞錯。」

我離開診間，去跟他太太說幾句話。當我回來時，皮博士正靜靜地靠在窗邊坐著，神情專注，不過傾聽的成分好像大於觀看。「川流不息的車潮，」他說：「街市的喧鬧，還有遠處的火車，就好像在演奏一首交響樂，你不覺得嗎？你聽過奧涅格的交響詩『太平洋二三四』嗎？」

「多可愛的一個男人，」我心裡想著：「他會有什麼嚴重的問題呢？他會願意讓我幫他做檢查嗎？」

「哦，當然可以，薩克斯醫生！」

以為右腳是隻鞋

包括肌力、協調性、反射性、健康狀況等神經系統的檢查，都進行得很順利，讓我不再那麼擔心，他可能也覺得放心。直到檢查他的反射能力時，奇怪的事情發生了。他的左半邊有一點點不正常。我脫掉他右腳的鞋，用一把鑰匙去騷他的腳底，這個動作看似無聊，卻是反射試驗的必要步驟；之後，就起身去旋緊我的眼底鏡，讓他自行穿上鞋子。

出乎意料地，過了一分鐘，他竟然還沒有把鞋穿好。

「需要幫忙嗎？」我問。

「幫什麼忙？幫誰的忙？」

「幫你穿鞋啊！」

「哎呀！」他說：「我忘了！」但又低聲說了句：「鞋子？」、「鞋子？」

他看起來有點迷惑。

「你的鞋子，」我又重複了一次：「或許你該把它穿上。」

他不斷地往下望，專心地找那一隻鞋子，只是位置不對。最後，他的目光停在腳上：「這是我的鞋子，對不對？」

是我聽錯了？還是他看錯了？

「我的眼睛，」他帶著解釋的口吻，並把一隻手放在他的腳上：「這是我的鞋，不是嗎？」

「不對，那是你的腳。鞋在這兒。」

「哦！我當那是我的腳。」

是開玩笑嗎？他瘋了？還是瞎了？如果這是一次他所犯的「不可思議的錯誤」，我還真是從來沒遇過這麼奇怪的事。

我趕緊幫他穿上鞋子，免得事情更令人費解。皮博士自己似乎一點也不覺得困擾；他一副毫不在意的樣子，甚至還挺開心的。

我再次翻閱他的檢查結果，發現他的視力不錯，輕易就能看見地上的大頭針。不過，大頭針如果放在他的左邊，有時他會找不到。

見樹卻不能見林

他可以「看」到東西，但他看到的是什麼呢？我翻開一本《國家地理雜誌》，請他描述書中的照片。

他的反應相當奇怪。他的目光會從一點跳到另一點上，就像他在看我的時候一樣，儘注意些小細節、小部分。色彩亮麗、形狀鮮明的事物，會吸引他的注意力，誘使他做出評論，但是沒有一次他看到的是完整的景象。他無法看見全景，只看得到細節，這些細節就如同雷達螢幕上的小光點。他始終無法與完整的圖像建立關係；也就是說，他始終看不到事物的全貌。不管面對的是一片風景或某個景象，他都沒有感覺。

我讓他看封面，是一片綿延不絕的撒哈拉沙漠。

「你看到什麼了？」我問。「一條河，」他說：「和一家旅店，有陽台伸出河面上，人們在陽台上享用晚餐；一支支彩色的陽傘，散落在各個角落。」他邊看（如果說這也叫「看」的話）封面以外的地方，邊胡謅些不存在的事物，好像真實照片中欠缺的，驅使他聯想出河流、陽台和彩色陽傘。

我的表情一定很驚訝，但他好像認為自己已經圓滿達成任務了。他的嘴角露出了一絲笑意；同時，他也一副認定檢查已經結束的樣子，起身去找他的帽子。他伸出手，握住他太太的頭，想把她的頭拿起來，戴上去。很明顯地，他錯把自己老婆當成一頂帽子！而從她的表情看起來，好像早已對這樣的事見怪不怪了。

我無法以傳統神經學（或神經心理學）來說明這一切。他許多方面的功能應仍相當正常，但某些功能毫無疑問地被摧毀殆盡，這真是難以理解。他怎麼能一方面錯認老婆是頂帽子，另一方面卻還能在音樂學校裡教書呢？

我得再進一步地了解、觀察，看看他在自己熟悉的居所，也就是家中，是什麼情況。

登門造訪，一探究竟

幾天後，我到皮博士家拜訪他們夫妻倆；我的手提箱裡放著「詩人之戀」的樂譜（我知道他喜歡舒曼），以及幾種奇形怪狀、測試認知能力的東西。皮太太把我引進一間挑高的寓所，這房子令人想起頹廢派的柏林。一架陳舊、巨大的貝森朵夫鋼琴，莊嚴地立在屋子中央，四周散布著樂器架、樂器、樂譜……。屋內還有書、畫等，但音樂才是重心。

皮博士走了進來，身軀微彎，心不在焉地伸長手，往那老爺鐘的方向前進。一聽到我的聲音，隨即修正方向，來到我面前和我握手。彼此寒暄一番，閒聊了最近的音樂會和一些表演。抱著碰運氣的心情，我隨口問他是否能唱一曲。「詩人之戀！」他發出讚歎聲。「但我無法再看樂譜了，你來彈好嗎？」我說我試試看。在那架性能極佳的老鋼琴上，我這種技巧，彈起來也滿像一回事的。皮博士雖然上了年紀，卻有著費雪狄斯考般的醇厚歌喉；而且他的音感極佳，對音樂有著非常敏銳的理解力。由此可見，音樂學校繼續聘用他，絕非出於憐憫。

顯然皮博士腦部的顳葉還相當正常：他有極佳的音樂皮質區。但是不知他的頂葉及枕葉，特別是那些處理視覺的部分，出了什麼問題。我的神經檢查工具箱裡有「柏拉圖多面體」，我決定從這些開始試驗。

「這是什麼？」我抽出第一樣東西，問他。

「當然是個立方體。」

「好，那這個是什麼？」我炫耀似地拿出另一件東西問他。

他要求看仔細點。沒一會兒功夫，他有條不紊地說：「十二面體，我看其他的就不必了……二十面體來也難不倒我。」

他並沒有抽象形狀理解的障礙，那臉孔呢？我拿出一盒撲克牌，J、皇后、老K，還有小丑，他都迅速地辨識出，但畢竟這些是制式的圖樣；這麼做無法判斷他所看到的是臉孔，或者只是它們的固定樣式。我決定給他看我手提箱內的一本漫畫書。這次，還是如出一轍，絕大部分他都說對了：邱吉爾的雪茄與特大號鼻子，只要抓到了特徵，他都能辨識出臉孔。但卡通也是有一定的規格和模樣。現在就要看看他對於呈現在眼前的真實臉孔有何反應了。

只能靠特徵猜測身分

我打開電視，調成靜音，並找到了早期蓓蒂・戴維斯的影片。一幕感情戲正在上演。皮博士沒有認出女主角，這或許是他對她本就陌生的緣故；但令人驚訝的是，他無法說明她的臉上或她父母的臉上有何表情，雖然在那一場煽情的戲裡，有熱切的渴望，揉合激情、驚喜、憎惡與憤怒的情緒，以及最後賺人熱淚的氛圍貫串其中。皮博士完全看不出所以然來。他搞不清楚發生了什麼事、也搞不清楚誰是誰，甚至連角色的性別也無法分辨；而他對這幕戲的評語更是和劇情相差十萬八千里。

他會有這種種困難的表現，唯一的可能是因為好萊塢電影與現實生活是脫節的。這讓我產生一個想法，搞不好他比較能夠判別真實生活的人物。屋內牆上掛著家人、同事、學生及他自己的相片，我選了一堆照片拿給他看，心中充滿著未知。結果是，在電影裡被視為有趣的，或者該稱為可笑的，在真實人生卻成了悲劇。他沒辦法從任何一張照片中認出半個人，連自己也同樣陌生。他認出了其中一張照片是愛因斯坦，因為他抓到了披頭散髮與鬍鬚的特徵；另外一、兩個人的照片，他也是用同樣的方式認出來的。

「呀，保羅！」他說，那是他哥哥的照片，「他的闊嘴、大門牙，化成灰我都認得！」但他是一眼就看出這個人是保羅呢？還是他基於對方的一、兩個特徵，對其身分做出合理的猜測？把這些醒目的標記拿掉，他就又陷入五里霧中。但這不單單只是認知判斷，或者說神祕性直觀的問題，而是他的整個運作系統發生嚴重的問題。那些他眼光接觸到的臉孔，即使是親近、親密的臉，他都像是看到艱澀的謎題或考題一般。

他跟這些臉孔搭不上關係，對它們也視若無睹。沒有一張臉他認得出是你、我、他，只是將它們看成一組特徵：通通都是「它」。因此，他只是做了外觀上的直覺反應，而不是以人的容貌去辨識；也因而才會形成他這種沒有感情、瞎子摸象式的表達方式。一張臉，對我們而言，是一個人的外在表現，可謂是「以貌取人」；但對此，皮博士卻沒有這樣一個「人」的概念。一言以蔽之，他看到的都「裡外不是人」。

連玫瑰和手套都認不得

在到他家的路上，我繞到一家花店，給自己買了一朵價格不菲的紅色玫瑰花，別在鈕釦孔邊。這時，我把花拿下來交給他。他接過花的樣子，不像是一般人從別人手中接過一朵鮮花，倒像是從植物學家或形態學家手中拿到一份標本。

「大概六吋長，」他如此評斷：「有紅色的迴旋形狀，貼有一條綠色的線狀物。」

我以鼓勵的口吻說：「不錯，那你認為它是什麼東西呢，皮博士？」

「不太容易表達，」他似乎有點為難：「它缺乏柏拉圖多面體單純的對稱性，雖然它可能具有更高層次的對稱形態……；我想這東西應該是一束花或是一朵花。」

「應該是？」我反問。

「應該是！」他語氣堅定。

「聞聞看，」我提出建議。他又是一陣錯愕，好像我要求他去聞一個高層次的對稱體，但他仍禮貌性地回應我這個要求，將花拿到鼻子邊。此時，突然地，他回到了真實世界。

「真漂亮！」他脫口而出：「初開的玫瑰，多濃郁的芬芳啊！」他開始哼唱出「褪色的玫瑰，乾萎的百合……」。看來，現實的東西，不一定要藉由視覺感受出來，嗅覺也是一種管道。

之後，我做了最後的一項試驗。因當時仍是早春涼意襲人的氣候，進門時，我把大衣與手套都扔在沙發上。

「這是什麼？」我拿起手套問他。

「我來看一看，好嗎？」他從我手中把手套接過去，開始檢視起來，就跟剛才檢視那些幾何體時一模一樣。

「是一片連續的表面，」他終於開口說道：「它把自己包起來了。它好像有……」他猶豫了一下：「有五個小袋子，如果可以這麼說的話。」

「有的，」我慎重地回答他：「你已經給了我一個描述，現在可以告訴我，是什麼東西嗎？」

「是某種容器?!」

「答對了，」我說：「那用來裝什麼呢？」

「裝該裝的東西！」皮博士邊說邊笑了出來：「有好多種可能，比如說，它可以是零錢包，裝五種大小不同的硬幣，也可能是……」

我打斷他的話，免得他再瞎掰下去。「你不覺得它眼熟嗎？你不覺得它可以用來放進，或者說適合，你身體的某個部位嗎？」

他的臉上沒有顯露任何豁然開朗的表情。❶

小孩子沒有能力體會，也說不出什麼「連續的表面……把自己包住」的話來，但是隨便一個小鬼，在看到手套的時候，就會馬上認出那是手套，同時會因為熟悉感，把它們和手聯想在一起。皮博士卻沒有。他看到的東西對他而言，都是陌生的。在視覺上，他迷失在一個了無生機的抽象世界。無庸置疑地，他因缺少視覺上的自我，也就無法把這世界逼真地呈現出來。他對事物只能略知一二，卻無法與之當面對質。

不再有想像的美感

傑克森在談到失語症和左側半身不遂的病患時，說這些病患失去「抽象性」與「命題式」的思考能力，並將他們與狗兒相提並論（或倒不如說，拿小狗的標準來評判他們）。從另一個角度來看，皮博士的生理運作方式與一部機械沒有兩樣。他不僅像電腦一樣：功能超強卻沒有天地間的視覺感受；更令人詫異的是，他思考這個世界的方式與電腦如出一轍——只憑一些關鍵性特徵和程式化的關係。程式是可以靠著一套「辨識精靈」分辨出來，即便是對現實一無所知也沒關係。

即使做了這麼多的試驗，皮博士的內心世界對我來說，仍是一片模糊，而他的視覺記憶及想像力是否仍完整呢？我要求他假想由北邊進入本地的某個廣場，在走過它時，想像會經過哪幾棟建築物。結果他列舉出的建築物全都在他的右邊，沒有一棟是在他的左邊。接著我請他想像由南方進入廣場，這次說的也全都在他的右邊，正好就是那些先前遺漏掉的建築物。前次那些由心中「看」到的建築物，此刻都沒被提到；大概是被「遮蔽」了。如此證明他的左邊確有問題，他的視野上的缺陷，是內外同體，因為他的視覺記憶和想像也正被蠶食著。

而他腦中對層次更高的事物的內在描繪能力又是如何呢？想到托爾斯泰筆下的人物全憑他的想像力賦與生命，我就詢問皮博士有關《安娜．卡列尼娜》這部作品的種種。他輕而易舉地說出內容，沒漏掉半點故事的架構，但卻完全遺漏需要用雙眼去感受的角色外表、情節變化與場景轉換。他記得人物的對白，卻對他們的容貌毫無印象。他可以逐字逐句近乎完美地引述劇

❶稍後，在不經意地戴上那樣東西之後，他驚呼：「我的天，是手套！」這事令我想起葛史汀的病人「拉奴提」，這個病人只有在實際上用到某件物品時，才會認出那是什麼東西。

中的對白，但他對原著的視覺描述顯然是一片空白，且缺乏真實的感覺、想像及情感，因此他也有內在的辨識不能。❷

毫無疑問地，他的缺陷只存在於幾種特殊的視覺功能中。皮博士辨識臉孔及景物的能力受到相當程度的損害，可說幾乎喪失了。但認出事物架構的能力仍完好無缺，搞不好還更強化。當我絞盡腦汁和他下棋時，他可說是不費吹灰之力地看清楚棋盤上棋子的移動。事實上，他三兩下就把我打敗了。

盧力亞說查契斯基不再有下棋的能力，可是他鮮活的想像力卻沒受到任何損傷。查契斯基和皮博士兩人的世界，簡直就像是鏡子的裡外，是相互映照的。但他們之間最可悲的相異之處是：盧力亞說查契斯基「如同地獄行者般，以那不屈不撓的黏功，極力平反他失去的機能」。然而，皮博士沒有任何奮鬥的跡象。他不知道自己失去了什麼，也不曉得已經喪失很多功能。但到底誰比較悲哀呢？誰受到的詛咒較多呢？是知悉病情的人？還是渾然未覺的人呢？

疾病帶來的禮物

檢查結束後，皮太太招呼我們用餐，餐桌上擺了咖啡及一些可口小甜點，餓扁了的他，口中邊輕哼著旋律，邊開始享用甜點。他以一種輕快、流暢、不假思索、優美的方式，將盤子拉向自己，吃了這、又吃了那，整個動作進行得如潺潺流水般地富有旋律，形成了一首歌頌食物味美的歌，不曾停歇。

突然間，他被一陣落在門上的急促巨大的咚咚聲打斷。因為受到驚擾，皮博士不再吃東西，他動也不動地，呆坐在那兒，臉上有著漠然、呆滯的不知所措感。他看著餐桌，但眼神顯得非常茫然。在他太太倒給他一杯咖啡之後，濃濃的香味攝住他的鼻子，再度把他勾回現實。就這樣，又開始了吃東西的旋律。

我想著，不知他平常的作息會是如何？穿衣服、上廁所、淋浴？他太太進廚房時，我跟進去，問她皮博士如何處理雜務，譬如說，穿衣服。「就和他吃東西的情形一樣」，她解釋著：「我會把他常穿的衣服挑出來放在固定的位置，他通常可以輕鬆地唱著歌完成這些動作。他唱著歌做每一件事，但如被打斷而失去連貫性，就會完全停住，衣服變得陌生，連對自己的身體也是這樣的感覺。他無時無刻不在唱歌──吃飯，穿衣，洗澡，每件事都化成了歌曲。若不能把每件事變成歌曲，他就做不了任何事。」

交談時，我注意到牆上的圖畫。

❷我常常在思考海倫・凱勒的視覺描述，她生動的表達能力是否只是空泛的呢？或者是憑觸覺來移轉圖像而變成視覺的，或更不尋常的是，藉著他人的口述和暗示構成她的知覺與視覺，她的視覺想像力相當豐富，即使她的視覺皮質區從未被眼睛直接啟動。皮博士的病源就是那處理一切圖形影像的皮質區遭到損害，會有個有趣且典型的結果，就是他再也無法以圖像的方式做夢──夢的「訊息」就交由沒有視覺影像的言語來傳達。

「是的，」皮太太說，「他有繪畫及歌唱方面的才能，學校每年都會展出他的畫作。」我好奇地逛了一圈，這些畫是依照年代的順序排列。他早期的作品自然、寫實，有著鮮明的情境，且一定都有深具巧思的細節和具體的內容。接著幾年的畫，變得欠缺活潑性、寫實性及那一分真實與自然，取而代之的是更多的抽象表現，偏重幾何與立體的手法。到了最後這幾年的作品，在畫布上的呈現顯得毫無意義，至少對我而言是如此，只有混亂的線條與顏料所造成的斑點。我對皮太太發表了上述的評論。

「哎呀！醫生，你怎麼如此庸俗！」她反駁：「難道你沒看出他藝術風格的發展過程：如何掙脫早期的寫實主義，進展至抽象、非表象的藝術創作嗎？」

「不對，完全不是這麼回事，」我自言自語（我不敢對皮太太說出這些話）。他的確經歷了寫實、非表象與抽象的過程，但這並非藝術家經歷的藝術風格轉型，而是一種病狀，逐漸惡化成為一種嚴重的視覺辨識不能，造成所有的想像與具象表達的能力、所有對具象和現實的感知能力都被破壞殆盡。牆上的畫是悲劇性病史的展示，屬於神經病學而非藝術。

儘管如此，我懷疑皮太太還是說對了一部分。衝突是常有的現象，病態和創作力常常巧妙地共存共榮，也許在他的立體派時期裡，有藝術創造與病態共同發展的成分，相互影響而形成一個具原創性的形式。

既然他失去了具體想像的能力，想必在抽象的想像力上反而有所增進，進而發展出對線條、框框、輪廓等構圖元素有極佳的敏感度，像是以畢卡索般的眼光看待事物，並依此描繪現實中那些看不到的抽象構圖，而那具象的表現就……雖然在稍後的那幾幅畫裡，我們看到的恐怕只是一片混沌和一些無以辨識的意念。

陶醉在樂音圍繞的世界

我們回到那間放著貝森朵夫鋼琴的大廳，皮博士正輕哼著歌，品嚐最後的一塊大蛋糕。「好了，薩克斯醫生，」他對我說：「想必你一定發現我這個案例很有趣。你能告訴我哪裡有問題，同時給我一些建議嗎？」

「我無法告訴你哪裡有問題。」我回答：「但我想說的是，你的表現裡令人稱許的部分。你是一位了不起的音樂家，音樂是你的生命，如果要我針對你的病情開處方的話，我會說，『充滿音符的生活』是解藥。在此之前，音樂是你的生活重心，此刻就讓它充塞你的心間吧！」

四年過去了，我沒有再見過他，但我經常若有所思，皮博士不明所以地失去這種想像與視覺的能力，雖仍完整保有其動人的音樂性，但他該如何去詮釋這個世界。我想對他而言，音樂會取代想像力。他無法做形體的想像，卻可解讀肢體的音樂性，這也是為什麼他的動作及角色扮演可以這麼流暢，但一旦「內在音樂」停止後，他整個人會陷入無所適從、完全靜止狀態的

原因。而對外界也一樣，這世界……。❸

叔本華在《意志與表象的世界》一書中提到，音樂是「純意志」的表現。如果時空倒轉，想必叔本華會欣然遇到皮博士，這位全然失去表象世界的人，卻讓空間迷漫著音樂與意志。撇開逐漸惡化的病情不談（在他腦中視覺區有個腫瘤或視覺區慢慢退化），該感謝上蒼悲天憫人，讓皮博士的這項功能自始至終都維持不變，就這樣陶醉在自己的音樂世界裡，並以音樂傳授學生，度過他的一生。

後記

我們該如何解釋皮博士這種不尋常的、無法辨識出手套的情況？很明顯地，即使他擁有層出不窮的認知性假設，也無法做出確定的判斷。人的判斷力是直覺的、個人的、廣泛的、具體的。我們會「看見」東西的存在，是因它們彼此及與自身的關係所促成；而皮博士所欠缺的，正是這種環境與相互關係（雖然在其他範疇裡，他的判斷依舊運轉如常，而且犀利），而這種情形是否就是因為「視覺資訊」的缺乏，或者視覺資訊的當機而導致的？（古典的結構神經學可能會作此解釋。）或是皮博士某些精神狀況功能不良，所以他無法道出所見之物與他自身的關聯性。

這些林林總總的解釋或其解釋模式，並不互斥，雖然模式不同，但它們可能共存且都是正確的。古典神經學不管以直接或間接的方式，均不否認這點。馬克雷發現「缺陷結構」，即視覺運作過程與整合有缺陷，這樣的解釋不夠充分時，便以間接的方式承認了這點。而葛史汀談到「抽象態度」時，則直接引述了這個觀點。

但所謂的抽象態度喪失，雖然也包括「分類」能力，但還是不足以說明皮博士的病況特點。或許更貼切地說，不足以說明一般性「判斷力」的缺損。皮博士並沒有喪失抽象態度，相反地，除了這個以外，他一無所有。就是他這種怪異的抽象態度，造成他除了無法辨識別人的身分，更嚴重地喪失了其判斷力。我們所以說它怪異，是因它單獨存在，其他事物都對他不發生作用。

判斷力讓我們得以生存

令我感到好奇的是，神經學與心理學中談到好多問題，就是鮮少談到判斷力。因判斷力的瓦解（像皮博士這個特殊範例，或稍普通的如有額葉症候群的病人，見第十二、十三章）是造成許多神經心理失調的基本因素。判斷力與身分辨識釀成災禍，但神經心理學卻提也不提。

---

❸ 稍後，我從他太太處得知，如果學生坐著不動或以一種靜止的「形象」出現時，皮博士就認不出他的學生來。但這事卻可有一百八十度的轉變，例如他們一移動，他就又能認出他們來：「那是卡爾，」他會大叫著說。「我知道他的移動姿態，他的肢體音樂。」

然而，不管是以哲學觀點（康德的觀點）或是經驗和進化法則，判斷力是我們擁有的最重要能力。沒有「抽象態度」的動物或人能發展得很好，但一旦失去判斷力，就會迅速走向滅亡一途。判斷力是高層次生命或心智的第一要件，但古典（計算性）神經學卻忽視、誤解它。如果我們去追溯這些荒謬事情的源頭時，可在神經學本身的假設或其發展過程中找到答案。古典神經學（如同古典物理學一般），總是十分機械化，從傑克森的擬機械化模式至今日使用電腦模式皆然。

當然，人腦像是部機器或電腦，而古典神經學中提到的觀念也都是正確的，但構成我們生命本質的「心智」，不只是抽象或是機械的運作，也具有個人色彩，它不只包含分辨、歸類的能力，且無時無刻不在做判斷並加諸情感。一旦喪失心智功能，便無異於電腦，皮博士就是如此。同樣的道理，如果把人類的情感與判斷（個人的部分）從認知學中拿掉，我們所遭遇的，就和皮博士沒什麼兩樣，我們對具體與客觀事實的理解力就減弱了。

藉著這個既滑稽又可怕的類推，現今的認知神經學與認知心理學所面臨的問題，和可憐的皮博士所遭遇的再相似不過了！我們需要有具體與客觀的事實，就像他所需要的；我們所忽視的，也和他忽視整體一樣。我們的認知科學本身與皮博士同樣得到某種辨識不能症。說到最後，皮博士的案例倒成了警示與血淋淋的例子，說明了如果某項學問避而不談判斷力（特別是屬於個人方面的），而變為完全抽象與計算性的學科時，會產生什麼樣的後果。

我最大的遺憾就是受到環境的限制，無法更進一步追蹤他的病例，無論是就觀察、研究方面而言，抑或是找出病理學上確定的致病原因。

所有的醫生都害怕碰到「絕無僅有」的病例，尤其是像皮博士這一罕見的病症。因此，當我憑著運氣，在一九五六年《腦》這本期刊上，找到了一篇有著類似荒誕故事的病例時，覺得興趣盎然、欣喜不已，當然也鬆了一口氣。這兩個病例相似（事實上該是相同）之處是就神經心理與現象方面而言；然而，基本的病因（頭部重創）和個人環境背景則迥然不同。作者說到此一病例時，把它當成「有文字記載以來首見的案例」。顯然他們也和我一樣，驚訝於自己的發現❹。

另一個把太太當帽子的人

在此，我引用該篇文章內容做些扼要的補充說明，有興趣的讀者可直接參閱馬克雷和卓利

❹ 寫了這本書後，我才發現其實有為數不少的文章，在談論一般的視覺辨識不能症，也有特別針對臉孔辨識不能症的文章。特別令我感到相當榮幸的，就是與喀特茲醫生的會面，他曾出版過一些極為詳盡的有關辨識不能症病人的研究（例如一九七九年喀特茲對視覺辨識不能症的報告）。喀特茲醫生提到一個例子，一位農夫得到臉孔辨識不能症，結果無法分辨他的乳牛（的臉）。另一位同樣病例的病人，是自然歷史博物館的管理員，他把自己在自然生態標本展示區的影子，誤認成一隻大猩猩。就跟皮博士，以及馬克雷和卓利的病人一樣，對具生命現象的東西，有著如此奇怪的認知差距。現在達馬斯歐正著手對辨識不能症與普通的視覺工程，進行一些相當重要的研究。

於一九五六年的最初報告。

這名患者是三十二歲的年輕人，歷經一次嚴重的車禍，有三個星期不省人事，「……他自怨自艾失去了辨識臉孔的能力，包括他妻兒的臉在內。沒有一張臉不讓他感到生疏，但他可認出三張臉；他們都是他的工作伙伴：一位是一隻眼睛常眨呀眨的，另一位臉頰有顆黑痣，第三位則是因為『他又高又瘦，沒有一個人像他一樣』」。

馬克雷和卓利還詳細提到，這個年輕人甚至連鏡中的自己也搞不定：在復健階段初期，他常常會懷疑那張瞪著他看的臉孔是否就是自己，尤其是刮鬍子時，雖然他也明瞭那不可能是別人的模樣。有好幾次他扮鬼臉、伸舌頭，說是想「確認一下」。在鏡子裡他小心地探究自己的臉，才能慢慢想起來，不能再像過去只需匆匆一瞥，他得靠頭髮、臉部的輪廓和左臉頰的兩顆小黑痣來辨別。

通常他無法「第一眼」就認出東西來，但會經由一兩個特徵去探究、臆測，不過偶爾會猜得亂七八糟。作者提到，具生命現象的東西，他特別有辨識困難。馬克雷和卓利也提到「他對空間圖形的記憶是奇特的」。他可以找到從家裡到醫院的路，可是卻無法說出途中經過的街名（不過，與皮博士不同的是，他同時有輕微的失語症）或以視覺想像出空間圖形。

對人物的視覺記憶，即使是那些車禍發生前所熟悉的人物，也相當明顯地遭受到嚴重破壞——雖仍具備行為記憶，或記得特定的習慣行為，但他已無法認出人物的外表或臉孔。同樣地，在仔細追問之下，也發現他的夢不具有視覺影像。和皮博士一樣，這個病人不只沒有視覺理解力，連視覺重現最基本的要素——視覺想像力與記憶，也都完全受損，至少影響到那些與個人的、親近熟悉的和具體有關的視覺能力。

還有一點有趣的事值得一提，皮博士誤認他老婆是一頂帽子，馬克雷的病人也無法分辨自己的太太，他需要她以某樣視覺標誌來指稱自己，譬如要說自己是「……一件與眾不同的衣物，像是一頂大帽子」。

第二章 迷航水手

我說：「我來講一個故事。
一個男人去找他的醫生，
抱怨說他有記憶消失的情形。
醫生問了一些例行性的問題後，
緊接著問他：『消失的情形是怎樣一回事？』
病人回答：『什麼消失了？』」
「原來這就是我的問題！」吉米笑了出來：
「我發現自己時常忘掉才剛發生的事。
不過，往事卻記得很清楚。」

想明瞭記憶在我們一生中有何等分量，請讓你的記憶流失，即使只是零碎的片段也可。失去記憶的生活不像是生活了……。記憶讓我們思想連貫、明白事理、產生情感，也是我們行動的原動力。沒有它，我們將一無所有……（我只能坐以待斃，看著它把一輩子的生活化為烏有，就如我母親所遭遇的一般……）。

——布紐爾

這段動人且駭人的文摘，出自布紐爾的回憶錄。他的話使人聯想到幾個兼具臨床、實用、生命存在與哲學意味的基本命題：怎樣的生活（如果有的話）、怎樣的世界、怎樣的自我，是一個喪失了大半記憶、不再有過去、生命找不到定位的人仍擁有的？

這馬上使我聯想到我的一位病人，他就是這些問題活生生的例證：爽朗、聰明卻無記憶能力的季吉米，在一九七五年初，來到我們位於紐約附近的老人之家。他的轉院紀錄上隱晦地寫著：「無自主能力、精神錯亂、思考雜亂、沒有方向感。」

渾然不覺歲月的流逝

吉米是位外表體面的男士，有著一頭灰色捲髮，當時他四十九歲，健康而英俊，看起來神情快活、友善而熱情。

「嗨！醫生！」他說：「早安！我坐這張椅子嗎？」他顯得神采奕奕，興致勃勃地要跟我談話、回答我的任何問題。他報上姓名、出生年月日，以及他在康乃狄克州出生的小鎮名，他滿懷情感地做了詳盡的敍述，甚至還畫了張地圖。他提起他家人曾經住過的各個房子——連電話號碼都記得一清二楚，也聊到學校與在校生活，一些交往過的朋友和特別鍾情的數學與科學。

他滔滔不絕地談到當海軍的日子。他一九四三年入伍，當時十七歲，才剛從學校畢業。他也談到自己對工程學科相當有天分，搞起無線電和電子易如反掌，後來經過在德州一番密集的受訓，造就他成為潛艦上的助理報務員。他說出每艘他曾服役過的潛艦的名字、任務性質、駐紮港及艦上同僚的名字，他還記得摩斯電碼，可以在摩斯電碼上流暢地發報，以及不看鍵盤而快速打字。

完整、有趣的早年生活，活靈活現，言談間充滿了感性。不過，他的回憶到了某個階段就不明所以地打住了。他歷歷在目地，回想起戰爭、服役、戰後的日子及當時對未來的打算。他熱愛海軍，也曾想要繼續服役。但因礙於士兵福利法，以及當時有一些資助，他認為上大學或許會有更多的發展空間。他的大哥當時就讀一所會計學校，並和一位來自奧勒岡州的女孩有婚約，那女孩還是個美人胚子呢。

因著回憶，吉米得以重溫舊夢，整個人顯得神采飛揚；他聽起來不像是在回想往事，倒像是在述說著此時此刻的一切，而讓我最訝異的是，他在回憶從學校進海軍的那一段時光所用的時態變化。他一度使用過去式，但講到這一段時，卻轉成了現在式。我覺得他並非像小說裡會在回憶中使用現在式，而是真的在陳述一些現在發生的事。

一個出其不意、沒有理由的疑念晃過我腦中。

「現在是西元幾年，季先生？」我用漫不經心的態度問他，以掩飾我心中的疑惑。

「一九四五年呀，醫生，怎樣了？」他繼續說：「我們打贏了這場戰爭，羅斯福總統去世了，換杜魯門總統執政，前景一片看好。」

「你呢，吉米，你現在幾歲了？」

他的表情怪異，不是很確定，猶豫了好一陣子，像在算日期。「有什麼不對嗎？我想我十九歲了，醫生，過完生日就二十歲了。」看著眼前這位灰髮男人，我產生了一個至今仍無法原諒自己的衝動念頭——如果吉米記得那件事，那應該是殘酷至極的——「這兒，」我說著，把鏡子擺到他面前：「看看鏡子裡，告訴我，你見到什麼，鏡中可有個十九歲的少年郎？」

頃刻間，他臉色發白，雙手緊握椅子的把手，「老天爺，」他喃喃自語：「我的天，發生什麼事了？我怎麼會是這副德性？是惡夢一場？還是我瘋了？這是玩笑吧？」他激動得近似瘋狂。

「放心，吉米，沒事，」我安撫他的情緒：「這只是個誤會，沒什麼好擔心的。嘿！」我帶他到窗邊：「多迷人的春天，有沒有看見在那裡玩棒球的孩子？」他臉上又出現光采，也露出笑意，我悄悄地帶著那面可惡的鏡子走開。

同樣的戲碼再度上演

兩分鐘後，我又回到房間裡，吉米仍然站在窗邊，愉快地凝視底下那群玩球的孩子。在我開門的同時，他轉過身，顯露快活的表情。

「嗨！醫生！」他說：「早安！你有問題要問我，我坐這張椅子可以嗎？」真誠坦白的臉上，絲毫看不出他對我們才剛見過面有印象。

「我們沒見過面嗎，季先生？」我謹慎地問他。

「是的，我不記得曾與你照過面，你臉上有一大撮鬍子，要忘記是很難的，醫生！」

「為何稱我為『醫生』？」

「因為，你是醫生，不是嗎？」

「但如果你不曾見過我，為何知道我的職業？」

「你說話的樣子就像是醫生，我看得出你就是醫生。」

「沒錯，你說對了，我是這裡的神經科醫生。」

「神經科醫生？嘿，難道我的神經系統發生毛病？而『這裡』，『這裡』又是哪裡？這到底是什麼地方？」

「我剛正想請問你，你認為你在哪兒呢？」

「我看這裡到處是床，到處是病人，應該是醫院吧，但天啊！我在醫院做什麼？幹嘛和這些年紀比我大的老人在一塊？我覺得我的精神很好，壯得像頭牛。是不是我在這上班……我有工作嗎？我做什麼的？……哦哦，你在搖頭，你的眼神說不是，假如說我不是這裡的員工，卻被放在這個地方，難道我是病患，病得搞不清楚狀況，是不是，醫生？這簡直太瘋狂、怪嚇人的……，是不是有人在開玩笑？」

「你不知道怎麼回事嗎？真的不知道嗎？記得你告訴我，在康乃狄克成長的童年往事、在潛艦當報務員的事嗎？還有你老哥是怎麼和一位奧勒岡女孩締結婚約的？」

「嘿，你說得沒錯，但我沒跟你講過這些，也從未見過你，你一定是讀過我的病歷。」

「好吧，」我說：「我來講一個故事。一個男人去找他的醫生，抱怨說他有記憶消失的情形。醫生問了一些例行性的問題後，緊接著問他：『消失的情形是怎樣一回事？』病人回答：『什麼消失了？』」

「原來這就是我的問題！」吉米笑了出來：「我發現自己時常忘掉才剛發生的事。不過，往事卻記得很清楚。」

「你願意接受我的檢查，進行幾項測驗嗎？」

「當然，」他以配合的口吻說：「隨便你要怎樣處理。」

轉眼就忘得一乾二淨

智力測驗顯示他頗有天賦。頭腦機伶，觀察敏銳，有邏輯觀念，且可輕易解答複雜的問題和謎題。在緊湊的問答過程中，他顯得遊刃有餘；如果是耗時的問題，他可能會忘記自己在幹什麼。他善於下三子棋與跳棋，下棋工夫可謂快、準、狠，三兩下就把我幹掉了；但下西洋棋時則不靈光，因為每步棋都得慢慢來。

深入探究他的記憶時，我發現他的近期記憶有著嚴重又很不尋常的流失情形，不論是剛說過的話或才看過的事物，他總在幾秒鐘之內就忘得一乾二淨。舉例而言，我將我的手錶、領帶、眼鏡放到桌上且蓋住它們，並要求他記下我蓋著的東西。閒聊一分鐘之後，再問他我蓋住了哪些東西，沒有一樣他講得出來！更貼切地說，他根本忘了我要他把東西記下來。我又重複這項試驗，請他寫下那三樣東西的名稱；結果，他又把它們給忘了，當我拿他寫的那張紙條給他看時，他驚訝不已，表示不記得自己寫過什麼。然而，他承認那是他的筆跡，然後才依稀想起自己曾寫過那些字眼。

有時他會有種模模糊糊的記憶，某些微弱的記憶訊息，或似曾相識的感覺。像是我在和他玩了五分鐘的三子棋後，他會想起「某位醫生」曾和他在「一會兒前」下過三子棋，而所謂的「一會兒前」，到底是指幾分鐘前或幾個月前，他也沒什麼概念。停了一下子，他又會接著說：「好像就是你嘛！」在我表明就是我時，他似乎覺得滿開心的。

這種朦朧模糊的樂趣與不在乎的態度倒相當獨特，就像他因沒有方向、迷失在時空裡，而遁入一番深思之中一樣。當我問他現在是什麼季節，他會立刻四處張望尋找線索。我很技巧地移走桌上的日曆，他就透過窗外的景象，約略地推敲出應該是哪一個季節。

顯然他並非無法記憶，只是記憶的軌跡極易消失；在一分鐘內，甚至更短的時間，就消逝得無影無蹤，特別是在注意力分散或有其他的刺激干擾他的時候，忘得更快。不過，他仍保有智力與知覺能力，而且非常出色。

依舊活在四〇年代

吉米的科學知識大約等同於一位聰明、又著迷於科學和數學的高中畢業生程度。他對算術（代數也一樣）運算相當在行，不過先決條件是，這些算術運算是可以憑閃電般的速度求出答案的。如果含有多重的運算步驟，時間一耽擱，他就會忘記解到哪兒了，甚至連題目也忘了。

他清楚化學元素和其相互間的關係，能畫出周期表，卻遺忘原子序中大於鈾的元素。「這樣完整嗎？」在他完成周期表後，我問他。

「完整啦，先生，這是我所知道的最新周期表。」

「難道你不知道鈾之後還有元素嗎？」

「你在開玩笑吧？周期表明明有九十二個元素，鈾排在最後一個。」

我躊躇著翻動桌上的《國家地理雜誌》。「告訴我行星的事，」我說：「講一些跟它們有關的資料。」他毫不遲疑、自信滿滿地告訴我一些有關行星的事──包括它們的名字、已有的發現、與太陽的距離、大約質量、特性和引力。

「這是什麼？」我拿著雜誌指著一張照片問他。

「月球，」他回答我。

「不是，它不是月球，」我回答說：「那是從月球上拍攝到的地球。」

「醫生，你的玩笑開大了！那一定得有人拿著一台照相機在月球上！」

「沒錯。」

「騙死人不賠命！別鬧了──誰上得了月球？」

除非他是個卓絕的演員，否則那副訝異的表情一點也不像是裝出來的；而這一幕更無庸置疑地顯示出，他仍身處過去的年代。他的言談、他的心境，他那天真的好奇心，以及想弄懂眼前事物的努力，在在顯露出他根本就是一位頭腦靈活、活在四〇年代的年輕人，正面對著還沒有發生、令他匪夷所思的一些事情。

「這一點最讓我確定，」我在筆記上寫著：「他的記憶的確在一九四五年左右就中斷了。……他在看過我讓他看的照片、聽了我告訴他的事情後，隨即顯現出一副瞠目結舌的模樣，活脫脫就是一個活在第一枚人造衛星『史潑尼克』發射之前年代裡的聰明小伙子。」

我在雜誌裡發現另一張相片，便順手推給他看。

「這是一艘航空母艦，」他說：「相當新式的設計，像這造型我還未見過。」

「它的名稱是什麼？」我問。他瞪著照片往下看，滿臉狐疑地說出「尼米茲號」。

「有什麼不對？」

「見鬼了！」他好激動：「所有母艦的名字我都熟，但尼米茲？沒聽過……。當然啦，是有位尼米茲上將，但沒聽說曾以他的名字來命名母艦。」

他氣得扔掉手中的雜誌。

被禁錮的靈魂

面對接二連三反常又矛盾的事件所造成的壓力，以及其背後可怕的暗示，他開始露出倦容與些許的暴躁和焦慮。在不經意間，我已使他成為驚弓之鳥，該是告一段落的時候了。

我們再度漫步走向窗邊，陽光普照的棒球場映入眼簾；看著看著，舒緩的表情泛在他的臉上。尼米茲、衛星照片及那些談話所觸發的可怕事實與暗示，已拋諸腦後，他的心思此刻已被底下的球賽所盤據。接著，餐廳飄上來陣陣開人胃口的香味，他舔舔嘴唇、露出垂涎三尺的表情，說了一句：「吃午餐了！」就這樣臉上掛著微笑，逕自走開。

此刻的我思緒糾結不清。想到他的一生像是形骸剝蝕的孤魂野鬼，就令我痛心，覺得荒謬絕倫、百感交集。

「可以說，他是，」我在筆記上寫著：「被孤獨地禁錮在一段生命時空中，遺忘的濠溝阻隔在周圍……。他既無過去、也無未來，卻卡在不斷變幻、但又毫無意義的瞬息之間，動彈不得。」接著我寫的都是些例行的內容：「其餘的神經系統檢查項目都完全正常。我認為，可能是柯薩科夫症候群，造成原因是，間腦的兩個乳頭狀體受酒精影響而導致退化。」

我的筆記可說是混雜了事實與觀察；在小心記錄與分類之間，充滿著壓抑不住的思潮，想著即使這樣的病症得以確定，對這位可憐人的身分、定位與身處何處等相關問題，究竟有何意義？像這樣一個記憶全然不存在，或記憶完全留存不住的人，還能稱他是「存在」的嗎？

記著筆記的同時，我的思緒一直很不科學地，縈繞在「失落的靈魂」之上。我在想，一個沒有根，或者根植於遙遠過去的人，該如何去建立他生命的連貫性、他的根呢？

「他需要的是連接」，但他該如何去連接它們，而我們要如何幫他呢？無法連貫的生活會是怎麼一回事？「我敢斷言，」休姆曾寫道：「我們只不過是一連串不同類型知覺的組合。知覺以令人無法想像的速度，生生不滅地在流通運作。」從某些觀點而言，吉米已被降為一個

「休姆式」人，我不禁想到，如果休姆在吉米身上，見到他自己哲理的「幻化」，看到個人可怕地化約成只剩下支離破碎、變幻莫測的意識，將會感到多麼的著迷啊。

關鍵的一九四八年

也許我可以從醫學文獻中找到一點建議或幫助，那是一篇大部分用俄文撰寫的文獻資料，內容有柯薩科夫針對此類記憶喪失病例所提的原始論文（莫斯科，一八八七年出版），這些病例至今仍被稱為「柯薩科夫症候群」；另外，就是盧力亞的《記憶的神經心理學》（此書在我遇見吉米一年後才出現翻譯本）。柯薩科夫在一八八七年寫道：

唯獨受到影響的，幾乎只是近期記憶；對時間較近事物的印象很明顯地消失最快，但老早以前的印象卻可適度地回憶起來，而病人的才能、機智的反應、豐富的想像力，大部分也毫髮未損。

柯薩科夫提出令人振奮的觀察報告，卻留下不少待發掘的問題，一個世紀以來，許多人投入更進一步的研究，而至今研究最豐富且深入的，當屬盧力亞。盧力亞的詞藻把科學變成詩詞，呼喊出徹底幻滅的哀愁：「病人已經全然失去能力，不再能對於事情和前因後果產生印象，」他寫道：「最後，他們完全失去時間感，變成活在一個封閉的印象世界裡。」盧力亞也進一步記述說，印象被連根拔除（和雜亂無章）的現象，可能會往前蔓延，「最嚴重的一些病例，甚至影響到相當久遠的事件上。」

在本書中所談及的盧力亞的病人，大部分均患有嚴重的大塊腦瘤，這些腦瘤會產生如同柯薩科夫症侯群的症狀，但在稍後會擴散開來，大部分的人就因而死亡。盧力亞的病例並未包括單純的柯薩科夫症候群。根據柯薩科夫的描述，此症是酒精造成，使細小但具重要地位的兩個乳頭狀小體處的神經細胞被破壞，而腦的其餘部分依舊保存正常功能。因此，盧力亞的病例均無長期的追蹤觀察報告。

一開始時，我百思不解、半信半疑，甚至認為蹊蹺詭譎，時空怎麼就那樣剛好停留在一九四五年；一個點、一個日子為何就那樣像具有象徵意義般的鮮明。我在隨後的筆記中寫道：

他有一大段空白的日子，我們不知道當時，或是往後的日子，他曾經歷過哪些事……。我們必須拼湊出他「遺落」的日子——從他的哥哥、海軍或他曾住過的醫院著手……。會不會在當時，他承受過一些極大的精神創傷；參加戰爭而產生的巨大腦部或感情的精神刺激，就這樣影響他到今天？戰爭會不會是他最後一段真正活著的「高潮點」，也就是在一段長時間的平淡

後的特別存在狀態？❶

都是酗酒惹的禍

我們對他做了好幾項檢驗（像是腦部斷層掃描），但沒有跡象顯示腦部有大區域的損傷，當然，這類檢驗並無法驗出那一對乳頭狀體的萎縮情形。由海軍送來的報告指出，他待到一九六五年才退役，而服役期間是勝任愉快的。

接著我們挖出一份內容簡略且髒兮兮的報告，它來自貝勒福醫院，記載日期是一九七一年，由此得知他「完全失去方向感……受到酒精的摧殘，有著嚴重的器質性腦部症候群（肝硬化就是這個時候引起的）」。他從貝勒福醫院轉送到鄉間一處環境惡劣的地方，俗稱看護之家，待到一九七五年。當時他汙穢不堪，又沒得到足夠的食物，被我們的老人之家給拯救出來。

我們聯絡上吉米的哥哥，就是那位他宣稱就讀會計學校，並與一位奧勒岡女孩有婚約的哥哥。事實上，吉米的哥哥早就與來自奧勒岡的女孩結褵，還當了父親與祖父，也做了三十年的執業會計師。

我們收到一封言詞謙恭但內容貧乏的信，原本我們期待這封信能帶來他哥哥豐富的訊息與感受。讀過這封信可以很清楚看出兄弟倆在一九三四年以後，幾乎沒再碰過面，他們分道揚鑣。住所與職業的變動當然是一部分的理由，另外也是因為彼此的個性差距過大（並非感情的交惡）。吉米似乎未曾「定下來」，天生的「樂天派」，是「隨時隨地來上一杯的人」。

他的大哥認為，海軍提供了可以依循的生活，而真正的問題也就發生於一九六五年，他退役之後。一下子失去已習慣的生活模式與倚靠，吉米停止工作，「失魂落魄的」，也開始酗酒。六〇年代中期，特別是到了六〇年代末，他患有屬於柯薩科夫症候群類型的記憶傷害，不過以他吊兒郎噹的處世態度，還不至於嚴重到無法「見招拆招」；但到了一九七〇年，他的酒就愈喝愈兇了。

吉米的哥哥事後得知，那年的聖誕節前後，他突然「發瘋了」，變得異常激動又錯亂，他就是在這當頭進入貝勒福。之後的第二個月，高昂情緒與精神錯亂的現象逐漸消失，但卻留下難以理解的記憶消失怪病，或以醫學術語來講，叫做「缺損」。

當時他哥哥曾去探望他，他們已經有二十年沒見面了，結果卻讓他哥哥很震驚，因為吉米

---

❶特凱爾在他那本引人入勝的口述歷史書《美好的戰爭》中，轉述了無數男女的故事，特別是參加過戰爭的男人，他們都強烈地感覺二次大戰歷歷在目，令他們感到那是畢生以來，最真實的、也是最重要的時刻。大戰過後，接下來的每件事則相形失色。這些人一逮到機會就會大肆渲染戰爭的情形，重溫戰役、同袍間的情誼，堅稱戰爭的必要性和戰況的慘烈。但這種沉迷往事，卻不記得現在的狀況，對當下的情感與記憶感覺遲鈍，卻與吉米屬於生理上的失憶症有所不同。我最近有機會與特凱爾討論到這個問題。「我碰過千百個人，」他告訴我：「這些人感覺自己從一九四五年就一直在『原地踏步』，但我從未碰過像吉米那樣的時間終結者。」

不僅認不得他，還直說：「不要開玩笑！你老得可以當我爸了。我哥哥是年輕人，才在念會計學校。」

獲得這些訊息，只讓我愈發混淆不解：為何他記不得在海軍後幾年的日子？為何直到一九七〇年，他才開始憶起與組織他的記憶呢？那時仍未曾聽聞這樣的病人會有回溯性失憶症（見後記）。「我愈發感到不可思議，」那時我這樣寫著：「他的情形中，是否有一些和歇斯底里或神遊性的失憶症有關？換句話說，他並非要逃避一些不願記起的慘痛記憶？」

精神科醫生也無計可施

我建議他找我們的精神科醫生就診。她的報告深入而詳細，其中包括了巴比妥鹽注射測驗，此一測驗用來「釋放」任何可能被壓迫的記憶。

她也嘗試催眠吉米，期盼能誘導出受歇斯底里症壓抑的記憶，這種催眠對歇斯底里失憶症相當管用，但在吉米身上卻不奏效，因為吉米無法被催眠；並非他「抗拒」，只因他的失憶症太嚴重，造成他搞不懂催眠師在說什麼（就職於波士頓榮民醫院失憶症病房的賀蒙諾夫醫生告訴我，他也有類似的經驗。他的感覺是，這絕對是柯薩科夫症候群病人的特徵，截然不同於患有歇斯底里失憶症的病人）。

「我不覺得，也沒有證據顯示，」精神科醫生這樣寫道：「他患有類似歇斯底里或偽裝的失憶症。他缺乏造假的本事和動機。而他的失憶完全是生理上的疾病，且是永遠不會痊癒的，只是我們無法明白，為何時間回溯到那麼遠。」她覺得，吉米對自己的病情是「無所謂……也沒有表現出特別焦慮的情緒，而身體機能的運作也沒有問題，」所以她無法提出任何建議，也不曉得該「從何處下手」，或有什麼「妙方」。

至此，我們可以相信吉米患的是如假包換的單純柯薩科夫症候群，沒有其他情緒上或器官性的因素作祟。我寫信向盧力亞請益，詢問他的看法。在回信中，他提到一位叫貝爾的病人，這位病患的失憶症是喪失了過去十年的記憶。他說，他想不出為什麼這類回溯性失憶症不會回溯到幾十年前，甚至是一輩子。布紐爾這樣寫道：「我只能坐以待斃地等著那最後到來的失憶症，將我一輩子的生命化為烏有。」但是吉米的失憶症則由於某種原因，將記憶和時間逆向消失至一九四五年，就打住了。偶爾他也會記得近年的事，不過只是片片斷斷又顛三倒四的。

他曾經看到報紙的標題寫著「衛星」二字，就很自然地提到一個屬於六〇年代初或中期的片段記憶，說他曾在一艘叫雀沙皮克灣的船隻上，參與過一個衛星追蹤計畫。但就整體狀況而言，他記憶的切割點是在四〇年代中（或稍晚），在這個年代之後，任何記憶都是斷斷續續，無從銜接。這是一九七五年時他的情況，過了九年後，病況依舊。

我們能做什麼？又該做些什麼呢？「用不著開處方，」盧力亞寫著：「像這種病人，就發揮你的創造力，從內心出發去幫助他吧。想恢復他的記憶力，則是沒什麼希望了。但上帝並非只用記憶來創造人，人會有感情、意志、感觸和精神歸屬——這些是神經心理學無法表達的範圍。也就是在這樣一個超越非人性的心理學範疇的領域裡，你能找到接觸他、改變他的方法。而你現在的工作環境特別適合這項工作，因為你們老人之家就像社會的縮影，不像我的環境是診所或醫院。在神經心理學的範疇內，你是無技可施的；但如果進入了屬於個人的範疇內，你就可能發覺情況大有可為。」

盧力亞提到他的病人克兒，說這個人表現出一種不尋常的自覺，雖然絕望卻帶著不尋常的平靜。「我毫無此刻的記憶，」克兒會說：「我不清楚自己才剛做過什麼或剛從哪兒來的……；對過去我記得相當清楚，卻沒有此刻的記憶。」當問到他是否曾見過正對他做檢驗的人，他說：「我無法說有或沒有，我無從斷言，也無法否認曾見過你。」

在吉米身上偶爾也會發生這種事。吉米與克兒一樣，在同一家醫院待久了之後，逐漸形成「熟悉感」；他慢慢知道老人之家內部的地理位置——知道餐廳、自己的寢室在哪裡；電梯、樓梯怎麼走，也多多少少認得某些工作人員，雖然他會將他們誤認成過去年代的人。他很快就對看護的修女有著一分好感；一下子就能認出她的聲音、腳步聲，但他一再宣稱她是他的高中死黨，也十分驚訝我稱呼她為「修女」。

「啊！」他一聲驚呼：「怎麼會這樣呢，我沒有想到妳會成為修女！」

吞沒記憶的無底洞

從一九七五年初來到老人之家至今，吉米從來沒有辦法持續無誤地認得某個人。唯一例外的是，每次從奧勒岡來探訪他的哥哥。在一旁看他們的會面，真是十分感人，扣人心弦，這是唯一會令吉米真情流露的時候。他愛他的哥哥，可以認得他，只是無法明瞭為何他那麼老：「我猜某些人老化得較快，」他這麼說。事實上，他哥哥的外表較實際年齡還年輕，天生一副娃娃臉。這是一段真實的會面，只有在這個時候，吉米的現在與過去才會串聯在一塊兒；但他們的談話，卻不像在談過去，也沒有連貫性，吉米就像一塊活化石般，如今仍然活在過去，至少對他哥哥或旁觀者來說是這樣。

起初我們對幫助吉米懷抱著極大的憧憬，他是這樣一位風度翩翩、討人喜歡、聰明伶俐的人，誰都不相信沒有人幫得了他。但大家都沒碰過，甚至想像過，竟有威力如此強大的失憶症。它有如一個能吞沒世界的無底洞，任何一丁點兒的東西，經驗也罷、事件也罷，只要掉了進去，就再也出不來。

第一次見面時，我就建議吉米該有一本日記，並鼓勵他把每日發生的經歷、感覺、想法、回憶與反省做成筆記。這個嘗試開始時無法順利進行，因為他總會丟掉日記本，必須絞盡腦汁使日記本成為他的貼身之物。但這個方法也徹底失敗；他相當配合地每日寫點簡短的筆記，卻不承認早先記載的內容，他能辨認出自己的字跡，只不過在看到前一天寫下的內容時，總是一臉錯愕。

他很驚訝，但並不真正在意，因為實質上他是一個沒有「昨日」的男人。他記載的事項扯不上過去、也扯不上現在，也無法提供任何時間或連貫性的概念。此外，他一直在寫些沒營養的事：「早餐吃蛋」、「看電視球賽轉播」……就是不談心底事。但這個無記憶的男人有內心世界嗎？有那種感覺與思考始終如一的內心世界嗎？或者他的軀殼內，像休姆所形容的，只剩下一堆沒什麼道理的東西，僅僅是一連串不相干的印象與事情而已？

對他內在如此深沉而悲哀的失落，以及自我的失喪，吉米可說知道，也可說不知道（如果一個人失去眼睛或腳，那必能感覺得到；但如果喪失自我，是無法察覺的，因為不再有個「他」，去知道這事）。因此，我不能用理智的觀點去詢問他這些事。

對什麼事都提不起勁

剛開始發現自己處在一堆病人當中時，他覺得莫名其妙，因為就像他所說的，他並不覺得身體有什麼不舒服。但他內心的感受是什麼呢？他體格強健，一副標準身材；他散發出野獸般的力量與精力，但也有種不搭調的慵懶、消極，以及「天塌下來也不關我的事」的特性（大家都這麼認為）。他讓我們所有人都強烈感受到「失去了什麼」，而對這樣的感覺，如果他了解的話，他的態度也不過是一副不干自己的事的樣子。有一天，我不問他有關記憶或過去的問題，而請教他最簡單、最基本的感覺：「感覺如何？」

「我感覺如何？」他搔搔頭又重複說了一遍。

「我沒有覺得不舒服，但也沒辦法說感覺舒坦，反正就是沒什麼感覺可言。」

「覺得自己悽慘嗎？」我再問。

「說不上來。」

「覺得人生愉快嗎？」

「我不能說我是……」

我猶豫了一下，害怕這些問題太過火，也許會讓一個人硬生生地面對隱藏於內心、無法去承認、無法去忍受的絕望。

「你並不愉快，」我重述一遍，有點猶豫：「你對人生的感覺是什麼呢？」

「我說不出我有任何感覺。」

「然而，你可感覺自己還很有活力？」

「有活力嗎？倒也不盡然，我已好一陣子沒這種感覺了。」他的臉上掛著無比悲哀卻聽天由命的表情。

後來，我們留意到他對快節奏的遊戲和猜謎很有一套，也樂在其中，遊戲的力量緊抓住他，至少在遊戲進行時，能讓他感受到片刻的友誼與競爭感——他不曾抱怨自己孤獨，但外表看起來卻是如此寂寞；他不曾表露出憂愁，但面容卻不開朗，因此，我建議他多參與本院的娛樂活動。這主意比起要求他寫日記而言是較管用的。

他自然而然就投人遊戲之中，但過不了多久，其他人都玩不下去了：他解開所有的謎題，簡直易如反掌；玩起遊戲來，他可說是打遍天下無敵手。當他發現這種情形時，再度變得焦躁不安，心情緊繃煩悶，不斷在長廊上來回踱步，並有一種自尊心受損的感覺——覺得遊戲或猜謎只不過是哄小孩的把戲而已。他清楚而熱切地想要做點事；他想要去做、去成為、去感覺，卻一點辦法也沒有；他想要有意義、有目的——套句佛洛依德的話，就是想要「工作與愛」。

無依的心靈尋得歸屬

他還能做「正常」的工作嗎？他的哥哥說，他在一九六五年不再工作後，就「崩潰」了。他有兩項傲人的技藝——摩斯電碼與快速打字。除非刻意安排，否則摩斯電碼是用不到的，而專精的打字則派得上用場，如果他能恢復這項專長，那可是一項扎實的工作，絕非玩遊戲。

吉米就重拾舊技，打字打得飛快，慢的話他就做不來。在打字的過程中，也感受到工作所帶給他的某種程度的挑戰和成就感。不過，這仍然只是膚淺的敲敲打打的動作，無法觸動他的內心。打字的時候，他只是呆板地、毫無意義地敲打著一句接著一句的短句，過程中，他無從思考。

有人會直覺地說，他是心靈傷殘，像個「遊魂」；他的靈魂真的受到疾病的牽累而「出竅」了嗎？「你認為他有靈魂嗎？」我曾這麼問修女們。她們對我這個問題群情憤慨，不過倒也還能體會我疑問的由來。「看看教堂裡的吉米，」她們如此說：「再自己判斷吧。」

我去看了，真的大受感動，感受十分深刻，難以忘懷。因為映入眼簾的是一張全心全意、祥和專注的臉龐，那是我過去未曾在他身上發現，也始料未及的。我看著他跪下，把聖餐含在嘴裡，顯然他跟上帝有著滿心喜樂而圓滿的靈交，他的心靈與彌撒的精神完美契合在一起。全神貫注、靜默不語，在心思全然凝聚的寧靜中，他分享聖餐、與神合一。

他整個人被一種情感所吸引、所融入。在此時分，沒有遺忘，也不見柯薩科夫症候群，其實此時大概也不可能有這種事發生了；因他不再受到那個錯誤百出的肉體所轄治；不再受他那失序的記憶軌跡所擺布。這時候的他，沉浸在自己完整的本質之中，其中包含的情感和意義，是與生俱來、連貫而一致的。這樣的本質沒有一絲縫隙，也不容任何的破壞。

很明顯地，吉米從絕對的心靈凝聚和對上帝的敬拜中，找到了自己，找到了連貫性與真實性。修女們說得對——他在這兒找到自己的靈魂。而盧力亞所言不虛，他的一番話又重現我的腦海中：「上帝並非只用記憶來創造人類，人會有情感、意志、感觸和精神歸屬……就在此處……你能摸著人的深處，並見到全然的轉變。」記憶、智力活動與心智行為，無法完全掌控一個人；能得著全人的，唯有精神上的專注與行動。

或許「精神」一詞都還太狹隘了，因為當中還充滿了美與扣人心弦的張力。看著教堂中的吉米，開啟了我的視野，讓我看到另一番天地。在其中，在心神合一的交流中，靈魂得到感召和擁抱，超脫了時空。當他碰到音樂或藝術時，也會出現同樣深刻的吸引力與專注。我觀察到，他能毫無困難地「追隨」音樂或簡潔劇情的律動，因為這些藝術活動有時間性、都是環環相扣的。

感受一切美好與靈性

吉米也喜歡蒔花弄草，曾管理過我們花園的一部分工作。剛開始時，每一天映入他眼簾的花園，都像是全新的環境；後來，也不知怎麼了，他對花園熟悉的程度與日俱增，現在他幾乎不會在花園裡迷路或搞錯方向，我想是藉著憶起幼年時在康乃狄克的花園，在腦海中他複製了這一座花園景象的緣故。

吉米迷失在外在延伸的時空中，如果僅是以一項工作、謎語、遊戲或計算等純粹心智挑戰的事物，想要去「抓住」他的注意力的話，他會在一開始就陷入一無所知、失憶的無底深淵。但一旦他投入感情和心靈的專注裡，如靜觀大自然或藝術創作、聆聽音樂、在教堂望彌撒等，那股專注、「心境」與靜肅會持續好一陣子，流露出他待在老人之家的日子裡相當罕見的沉思與祥和的表情。

我已認識吉米九年了。就神經心理學的層面，他一點也沒改變。他仍患有那最嚴重且要命的柯薩科夫症候群，幾秒鐘內就會把個別物品忘得一乾二淨，其綿綿不絕的失憶現象溯往到一九四五年。但如透過人性或心靈的角度，他有時卻判若兩人，不再心神不寧、慌張失措、感到人生乏味和一臉迷惘，反倒是深刻地注意到周遭一切的美好與靈性，涵蓋了齊克果所提及的所有範疇，以及美學、精神、宗教、戲劇。

在初次見到他時，我就百思忖度，假如他命中注定不該屬於那種在生活表面上自擾清夢、具膚淺的「休姆式」人，那麼，他這支離破碎的休姆式毛病，是否有超越的可能。經驗科學給我的答案是沒有，但經驗主義、經驗科學並沒把「心靈」算在內，並不考慮構成與決定每個個體的要素。❷

或許這裡有哲學與臨床上的功課：就罹患柯薩科夫症候群、癡呆或諸如此類病症的人而言，無論他們器官的損傷和休姆式的思考瓦解有多大，藉由藝術、藉由宗教的靈交、藉由觸動人性來達到復原的可能性，仍是絲毫不減的，這種可能性也可保留給那些第一眼看上去毫無指

---

❷在把這個經歷完稿並付梓後，我與戈德堡醫生——盧力亞的學生，也是《記憶的神經心理學》原文版（俄文）一書的主編，共同著手進行一項對這位病人嚴謹且系統化的研究。在許多討論會中，已公布初步的發現，盼望能在適當的時機發表完整的報告。有一部賺人熱淚且題材罕見的影片「意識的囚犯」，由米勒醫生所製作，是關於一位重度失憶症病人的故事，一九八六年九月曾在英格蘭上映。一部有關臉孔辨識不能症病人（與皮博士有甚多相同之處）的影片，由勞森製作，也已製作完成。這些影片將會有非常正面的作用，幫我們認識何謂「只能眼見，無法言傳」。

望的神經病學悲劇。

後記

我現在了解，因柯薩科夫症候群而導致的回溯性失憶症案例，即使不算普遍，但就某個程度而言，已屬稀鬆平常。而正統的柯薩科夫症候群——因酒精對間腦乳頭狀體的破壞所造成的嚴重永久性、但「純」記憶創傷——可說是少見的，甚至在那些極度嚴重酗酒者身上，也不容易發生。當然，柯薩科夫症候群也會有其他病狀出現，例如盧力亞的病人就患有腫瘤。一個特別令人矚目的重度柯薩科夫症候群（欣慰的是，它是短暫的）病例，就在最近被完整地記錄下來，它被稱做「暫時性全面失憶症」，通常是跟著偏頭痛、頭部創傷或腦部供血失常的情況出現。它的症狀是在幾分鐘或幾小時內，產生非常奇特的失憶情形，雖然在此當頭，病人還是可以以機械式的動作持續開車，從事醫療行為或做編輯工作。但在這些流暢的動作之下，卻潛伏著一個嚴重的失憶症——每說出一句話後隨即就忘了，凡過目之物，幾分鐘後不復記得，而原本就有的記憶則可能完整如初（一九八六年牛津大學的郝吉斯博士已製作完成幾支叫人永難忘懷、記錄病人身處暫時性全面失憶症過程的錄影帶）。

而且，這種病症有時不只是當下事物的遺忘，或許也會併發嚴重的回溯性失憶症。我的同事普魯泰斯醫生告訴我，他最近看到的例子：有一位才智卓越的男士，他曾有過好幾個小時無法記起自己的太太與小孩，忘記自己是有妻小的人。正確的說法是，他失去了三十年的光陰。但幸運地，這只持續幾小時而已。而從這個突襲中恢復雖是迅速且完整的，然而就某種意義而言，它們當下使出的絕對能力，就足以註銷或抹殺過去數十年的美好時光、滿載的成就及多采多姿的回憶，讓當事者飽嘗一陣令人心悸的小衝擊。

這種叫人不寒而慄的事，典型的模樣就是旁觀者清，病人全然不知，連自己有失憶症都不記得，只是繼續做他的事，一副若無其事的樣子，只有在事後才會發現他曾失去的，不僅是一天的光陰（類似平常酒醉後的短暫失憶），還是大半輩子的時間，而他對此從來都不知道。一個人的大半生就這樣消失於無形，這種事聽起來是何等詭譎又不可思議。

如果記憶像風

在成年的歲月裡，生命、人生的顛峰常因腦中風、衰老、腦部重創等等因素而戛然而止，但對於過去的一切，依舊存留著鮮明的知覺。這樣多少能給人一點慰藉：「還好，我活得精采，在腦部傷害或年邁體衰之前，我度過完整的人生，遍嘗人生百味。」

「過往的人生」既可以是慰藉之物，也可以是折磨人的東西，對回溯性失憶症患者來說，卻是無緣擁有的。布紐爾提到的，會完全抹殺掉人一生的「終極失憶症」，也許會發生在末期癡呆者身上，但依我的經驗，它不會是腦中風後一夕之間造成的結果。但有一不同種類卻類似的失憶症，是會突然降臨的，所謂不同之處，是指它並非「全面性的」，而是只局限在某個特定範疇中的。

我負責照顧的一位病人就是如此，在一次突然的後腦血栓後，立即喪失了腦部視覺。在不知情的情況下，這位病人完全失明了。他失去視覺，卻一點也不怨天尤人。經過詢問和測試，在在顯示，他不僅喪失視覺中樞，也就是變成所謂的皮質性失明，而且喪失全部視覺印象與記憶，完全沒有意識到自己看不見了。

事實上，他徹底地失去了「看見」的概念——不僅無法透過視覺去描繪事物，更離譜的是，當我使用了如「看見」和「光」的這種字眼時，他會一頭霧水。他實質上已成了無視覺動物，其畢生所見與視覺感受，彷佛被掠奪一空；他全部的影像人生硬是像被洗帶消磁般，在中風發生的瞬間被永久刪除。如此的視覺失憶症、不知道自己瞎了、不知道自己的記憶缺損，是完全只局限於視覺上的柯薩科夫症候群。

上一章〈錯把太太當帽子的人〉所描述的是範圍更小、但是貨真價實的特定知覺失憶症。它的故事就是有關臉孔辨識不能症，也就是說對臉孔失去辨識能力，這位病人不僅無法辨認臉孔，也無法去想像或憶起任何人的臉孔。確切地說，就是沒有「臉」的觀念，如同上述那位更多災多難的病人，在他的字典裡找不到「看見」和「光」這兩個字一樣。在一八九〇年代安東就曾對這種種症候群做過描述。但由柯薩科夫症候群與安東症候群所牽連出的課題，直至今日仍鮮少被關切，卻與遭侵擾的患者本人的世界、人生、身分息息相關。

時間已然凍結

就吉米這個病例，我們常會在心中盤算著，如果帶他回自己的家鄉，也就是重回失去記憶前的情景，他會有什麼反應。只是事與願違，近年來那個康州小鎮的變化之大，與往昔不可同日而語。稍後的一個機會，讓我得以明瞭真有此狀況發生時，會是怎麼一回事，不過主角換成一位叫史蒂文的柯薩科夫症候群患者，他在一九八〇年時病情急遽惡化，但他的回溯性失憶症只有倒退了二年左右。難得能在一次週末，受邀造訪這位患有嚴重癲癇、痙攣和其他病症需住院治療的病人，也因此讓我碰到一個令人痛心的境遇。

在醫院裡的他，認不得半個人、半點事物，隨時隨地都會讓人見到他那錯亂的方向感。但一旦被他太太帶回家，回到自己的窩──那個封存失憶前歲月的「時空膠囊」，他馬上有回到家的感覺。每樣東西他都很熟悉，拍拍晴雨表，查看溫度調節器，坐上他心愛的扶手椅，這些都是他的習慣動作。

他把七〇年代中期見過的景物又搬出來，談論著左鄰右舍、商店、鎮上的酒店和附近一家電影院。如果見到家中的擺設有了一丁點的改變，他會露出一臉的難過與迷惑。「你今天換了窗簾了呀！」有次他對他太太提出抗議：「搞什麼東西？怎麼一聲不響就換了？早上還是綠色的。」但實際上，它們從一九七八年之後，就不曾是綠色的。

他認出大部分住家附近的房子或商店，這些房屋在一九七八至一九八三年間，並沒有多大的改變，但他對電影院被「篡位」就感到相當不解（怎麼可能在一夜之間就拆掉它，蓋上超級市場呢？）。他能認出老友與街坊鄰居，卻發現這些人顯得出奇的衰老（某某傢伙，看起來真是老得可以。以前都沒注意到這事。怎麼大家都一副龍鍾老態的樣子？）。

但真正令人痛心、毛骨悚然的事，是在他太太帶他回來醫院時發生的。他覺得，怎麼自己的老婆以這種怪誕、無從理解的態度，把他帶到這個全是陌生人的奇怪地方，丟下他不管，掉頭就走。「你在幹什麼？」他一陣恐懼，茫然地尖叫：「這是什麼鬼地方？到底怎麼一回事？」這種情節會令人不忍心再看下去。而對病人而言，也必定如同一陣瘋狂或一場惡夢。幸運地，也許在幾分鐘後，他就會忘掉這一切。

這種記憶冰封在過去的病人，只能在自己的老家井然有序地活在過去的歲月，時間對他們而言，早就凍結了。我聽著史蒂文在回到醫院時驚嚇迷惑的尖叫聲，為已不復存在的過去哀鳴。只是我們能做什麼呢？難道我們能創造出一個時空膠囊、一段虛構的人生嗎？除了《睡人》裡的羅茲（參看第十六章），我尚未耳聞有病人因受年代混淆的困擾，而有這般遭遇、受如此折磨。吉米的表現趨於穩定；湯普森（見第十二章）繼續找人聊天；但史蒂文卻有著裂縫不停增大的時空傷口——一個永遠無法癒合的痛楚。

第三章

靈魂與軀體分家了

她仍持續感覺她的軀殼是死的、
不真實的、不屬於她的，
以致她無法支配自己。
她找不到形容詞來描述，
只能借用他種感覺來作類比：
「我覺得我的身體又瞎又聾……
它對自己一點感覺都沒有。」

事物最重要的一面，常因為它們太簡單、太熟悉，以致我們看不見（人對經常出現在眼前的事物容易視而不見）。探究事物的真實意涵總引不起人的注意。

——維根斯坦

維根斯坦這段關於認識論的談話，可以運用到人的生理機能與心理狀態上，特別是夏律敦所稱的「神祕的感覺」或「第六感」。持續而不自覺的感應，不斷地由我們身體的活動部位（肌肉、肌鍵、關節）流出；藉此，身體的定位、節奏和動作，持續受到監控與調整，但我們看不見這一切，因為它們是自發而無意識的。

我們其他的感覺——聽、嗅、觸、味、視，是明明白白看得見的；但這樣隱藏的感覺，則需要經由探索而得，像夏律敦在一八九〇年代就曾對它下過工夫。他稱它為「本體感受」，一方面是要與「外部感受」和「內部感受」區隔，再者也因為，它是讓我們感到「自己」存在的不可或缺的條件；也就是說，因為有本體感受，我們才能感覺自己的肉體是如此中規中矩，如同自己的「財產」，是屬於我們自己的。

在基本的層面上，還有什麼比能控制、擁有且自由運作自己的身體更重要的呢？然而，這件事是如此具自發性，如此熟悉，以致我們根本沒把它放在心上。

米勒製作了一部美侖美奐的電視影集「對身體質疑」。然而，身體通常是沒什麼問題的，或至少沒什麼值得大肆推敲的，因為它們就是這麼簡單、毫無疑問地存在。維根斯坦認為，對身體的無疑與確定性，是所有知識與確知的起源和根本。因此，他在最後一本著作《論確定》裡，開宗明義地說：「如果你確實知道這是一隻手，我們保證你能得到其他所有的真相。」但緊接著，就在同頁的開場白，他又說：「我們能問的是，懷疑本身是否合理……」；往下幾段又說：「我能懷疑它嗎？懷疑的基礎付諸闕如！」

說實在地，他這本書該以《論懷疑》當做書名，因為其中的疑問不比肯定少。尤其是他會懷疑，相對地，讀這本書的人也會懷疑，這些思想的靈感，是否來自戰爭中他在醫院與病人相處的那段時間。他想知道有哪種可能或狀況，能將身體的確定性拿掉，如此一來，就有了懷疑身體的理由，說不定因此對整個身體的存在都不確定了。這個想法如同夢魘般地糾纏著他最後的著作。

惡夢竟成真

克莉絲汀娜是個體型壯碩的二十七歲女子，熱愛曲棍球和騎馬，充滿自信，身心健全。她是在家工作的電腦程式設計師，有兩個小孩。另外，她學養兼備，喜好芭蕾及湖畔詩人的作品（但我猜她不喜歡維根斯坦）。她精力充沛、生活充實，難得見她掛病號。但出乎意料地，在一次腹痛的侵襲後，醫生發現她有膽結石，建議她切除膽囊。

她被安排在手術前三天住進醫院，進行預防細菌感染的抗生素處置，這完全是項例行性的工作，沒有人認為這項預防措施會出問題。克莉絲汀娜也了解這點，心裡坦然，並沒有太大的焦慮。

在手術前一天，向來不太幻想或做夢的她，卻做了一個特別鮮明的惡夢。在夢中，她搖晃得厲害，雙腳就是無法站穩，她覺得腳幾乎碰不著地，對任何握在手中的東西也沒知覺，只見雙手來回揮舞，東西一到手就掉落。

這個夢使她非常困擾，「我從沒做過這種夢，」她說：「它在我心中揮之不去。」因為過度困擾，於是請教精神科醫生的意見，「手術前的焦慮，」醫生說：「這很正常，我們看多了。」

但那天稍晚卻惡夢成真。克莉絲汀娜發現她站不穩，晃來晃去，手也握不住東西。精神科醫生再度被召來。他對怎麼又找上自己似乎有些不悅，但，也有那麼一下子，覺得不確定和困惑。「焦慮性的歇斯底里，」後來他斬釘截鐵地說，口氣裡還帶點兒不屑：「典型的轉化症，這種事常有。」

手術當天，克莉絲汀娜的情況依舊很糟，要站立根本不可能，除非她往下看她的腳。她的手拿不住東西，還會「晃來晃去」，除非用眼盯住它們才會停下來。當她想伸手拿東西或想把食物往口中送時，不是拿不到就是偏得離譜，像是某種必要的控制或協調能力離她而去了。

她連坐直都沒有辦法，她的身體會「塌下來」。表情變得呆滯、鬆垮，整個下巴往下掉，如同獅子張口，連聲音的情感也失去了。

「可怕的事發生了，」她張著嘴巴，以鬼魂般單調的聲音說著：「我沒有身體的感覺，那是難以言喻的，就像靈魂脫離軀體了。」

棘手的病情

這種事會把人嚇一大跳，除了困惑外，還是困惑。「靈魂出竅」——她瘋了不成？她的身體狀況當時到底是怎麼一回事？聲調與肌力從頭到腳都崩潰了；她的手搖來晃去，但她似乎都沒察覺到；她用手反覆擊打，卻無法擊中目標，似乎是因為接收不到神經末梢的訊息，也像是聲調與動作的控制迴路受到浩劫般的毀壞。

「很特殊的情況，」我對住院醫生們說：「幾乎無法想像有何原因引發這樣的狀況。」

「是歇斯底里的狀態，薩克斯醫生，那位精神科醫生不是如此解釋嗎？」

「他是這麼說，但你曾碰過歇斯底里的人有這些反應嗎？用現象學來思索，把你所見的當真來看，你所看到的她的身體狀態和精神狀態都不是虛幻的，而是身心俱全的個體。有何原因造成這幅肉體精神都飽受摧殘的景象？」

「我不是在考你們，」我補充說：「我也一樣一頭霧水，在此之前，我不曾見過或想像得到會有這種事……」

我陷入沉思，他們也思索著，我們一起設法理出個頭緒。

「有可能是雙側頂葉症候群嗎？」有人問道。

「看起來『似乎』是，」我回答他：「似乎頂葉沒有接收到該有的感覺訊息，我們來做些感覺測驗，並一併測試頂葉的作用。」

依計行事之後，整個脈絡逐漸變得清晰。她的本體感受的缺陷狀況似乎相當廣泛，幾乎從頭到腳趾尖全包括在內。頂葉雖有作用，卻沒有作用的對象。克莉絲汀娜也許有歇斯底里，但她還有一大堆問題，是我們不曾遇上或思考過的。此時我們緊急電召，但不是找精神科，而是打給復健醫學專家，也就是物理治療師。

我們在電話中顯得非常急迫，對方火速趕到。當他見到克莉絲汀娜時，兩眼瞪得有如銅鈴般大，立刻為她做詳盡的檢查，接著又進行神經與肌肉功能的電擊試驗。

「真是開了眼界，」他說：「我沒見過，也沒讀過相關的資料。她喪失了全部的本體感受，你們說的對，從頭至腳趾；肌肉、肌鍵與關節，都沒有感覺了。她還輕微喪失了其他的感覺型態，像是輕觸感、溫度、痛，也略微連累到運動神經纖維。但罪魁禍首是來自定位感覺，也就是本體感受。」

「原因呢？」我們問他。

「你是神經科醫生，你去查清楚吧。」

殘酷的判決

到了下午，克莉絲汀娜的情況更糟了！她躺著動也不動，連氣都不吭一聲；呼吸也是一小口一小口。狀況不太妙，也很詭異，我們想到該使用呼吸器。

脊椎穿刺的結果顯示有急性多發性神經炎，這是種極特殊的多發性神經炎；它不像居—巴二氏綜合症，會對運動神經造成全面的影響，它是純粹的（或近乎是純粹的）感覺神經炎，影響到整個中樞神經系統中脊椎神經與腦神經的感覺支。❶

手術被迫延期；這時還動手術就太瘋狂了。此時更迫切的問題是：「她能存活嗎？我們能做什麼呢？」

我們檢查完她的脊髓液後，克莉絲汀娜用微弱的聲音和更加模糊的笑容問我們：「判決的結果是？」

「你有發炎的情形，神經炎……」我們逐步開始就所知道的一切告訴她，當我們一時遺漏某些內容或避重就輕，她明確的發問會將我們帶回主題。

---

❶此一感覺多發性神經病變的發生是罕見的。在當時（一九七七年）就我們所知，克莉絲汀娜的病例之所以獨一無二，是因其表現了極不尋常的選擇性，所以才會造成本體感受纖維是唯一承受損害的部位。

「能好起來嗎？」她追問，我們面面相覷，又看了她，才說出：「我們不曉得。」

我告訴她，身體的感覺要靠三樣東西，即視覺、平衡器官（耳的前庭構造），和她所喪失的本體感受。正常狀況三者分工合作，一旦有一方失效，其他兩者就會產生彌補作用或取代作用，直到某個程度為止。尤其是，我舉了我一位病人麥貴格先生為例，他無法運用平衡器官而改用眼睛代替（見第七章）。神經性梅毒與脊髓癆的病人也有相同的症狀，但僅局限於腳部，而同樣也須使用雙眼去彌補（見第六章）。如果有人要求這些病人移動雙腳，他們很可能會回答說：「好的，醫生，等我找到它們。」

克莉絲汀娜聽得很仔細，帶著一種不存奢望的專注。

「我該如何應變？」她緩緩說道：「是不是在過去我使用到，你們叫什麼來著，本體感受的地方，現在都要用視覺，使用我的眼睛來彌補？而我也已經注意到，」她凝神呆視地又加了一句：「我的雙手還會不見，我以為它們在某處，卻在另一處找到它們。這個本體感受就像是身體的眼睛，身體藉著這條管道看見自己。一旦如同我所面臨的，它不再作用，那就等於身體的失明。我的身體在失去隱形眼睛的狀況下就不能看見自己，是不是？所以我得去看它，充當它的眼睛，對吧？」

「沒錯，」我說：「是的，妳夠資格當生理學家了。」

「我有必要像個生理學家，」她回我一句：「因為我的生理狀況出了毛病，而且也可能無法好轉了……。」

走出自己的路

克莉絲汀娜從一開始就表現得這麼意志堅強。雖然急性發炎後來消退，脊髓狀況也恢復正常，但對她的本體感受纖維所造成的傷害卻持續存在。因此，過了一週或一年之後，並無神經病學上的復原。事實上，至今已八年過去了，復原的成績依然不見起色。儘管如此，她仍走出自己的一條路，過著一種經過各方適應與調整的生活方式，而且她在情緒和精神勇氣方面的調整，並不亞於對神經傷害所做的生理調適。

第一週她什麼也沒做，懶得動也吃得少，處在一種驚嚇、恐懼和絕望的狀態中。假如無法自然復原，生活該如何過呢？每個動作都需步步為營，日子會是怎樣？尤其是，當靈魂與軀體分離時，她怎麼活下去呢？

之後，生命如它所必行的，發生了復甦；克莉絲汀娜又再度動了起來。剛開始時，沒有眼睛還真辦不了事，而且總在眼睛闔起來的剎那，無助地癱成一團。她得一開始就用視覺監視自己，小心翼翼地看著身體每個要移動的部位，如臨深淵、如履薄冰。這種感覺可說是痛苦極了。她的動作在刻意的監視與導正之下，起初顯得極度笨拙又不自然。但接下來她的動作逐漸能調整得更細緻、更優雅、更自然（當然，整個動作仍倚賴著眼睛）。我們彼此都對這與日俱增的自發能力驚喜不已。

日復一日，原本正常、無意識的本體感受，逐漸被同樣是無意識的視覺回饋所取代，視覺自發作用與反射作用逐漸整合、漸趨流暢。會不會，某種更基本的功能也在發生？腦對身體的視覺樣式，或對身體的概念——通常是相當微弱的（盲人自然沒有這種能力），而且通常附屬於本體感受影響下的身體樣式——有沒有可能在本體感受喪失之後，這一部分因為補償或替代的作用，正取得某些過去所沒有的特殊力量？因此，內耳前庭影響下的身體樣式與身體概念也就可能發生補償性增強……兩者增強的程度可能遠遠超出我們的預料或期待。❷

姑且不論內耳前庭的反饋能力是否增加，可確信的是，她耳朵的使用增加了，是一種聽覺回饋的表現。對說話而言，耳朵通常只扮演輔助角色，並不重要。我們因傷風而失聰時仍可正常說話，而一些先天性失聰者也能獲得近乎完美的語言能力。說話發聲的調節通常是種本體感受性的功能，由所有發聲器官的回流訊號所支配。克莉絲汀娜喪失了這種正常的回流性神經資訊，失去了她正常本體感受下的音調與姿勢，不得不使用她的耳朵，以聽覺反饋的方式替代。

除了有新形成的補償性反饋，克莉絲汀娜也開始發展出幾種新補償性的前饋反應，剛開始時是刻意才感覺得到的，但一步一步成了不自覺且自發的。這一切都得歸功於一位善體人意、足智多謀的復健師的協助。

不知感覺為何物

在浩劫臨身的頭一個月裡，她總像個軟趴趴的布娃娃般，連站都站不了；但三個月後，我嚇了一跳，看見她好端端地坐著——完美極了，正襟危坐地像一名挺直腰桿的舞者，但很快我就明瞭，她的坐姿事實上是一種逼迫自己、強裝出來的姿勢，用以彌補那欠缺真實與自然的姿勢。與生俱來的能力失效了，她就「故做姿態」，不過這種姿態是遵循原本自然的樣子做出來的，很快地也就成了第二天性。她的發聲也是如此。事情剛發生時，她幾乎是不發一語。

聲音也是裝出來的，如同從舞台上對觀眾講話一般。它是一種誇大、像演戲似的聲音，但不是為了裝腔作勢，或什麼走偏鋒的動機，只因仍無法恢復自然的發聲。由於缺乏具本體感受性的面部調性和態勢❸，她的面部表情也遭受波及：平板呆滯、了無生氣（雖然內心仍然充滿感情），得要刻意才能擠出表情來（如同失語症病人會採用誇張的重讀和音調變化）。

---

❷這可跟已故的馬丁在《基底核與姿勢》一書中所描述、為人津津樂道的例子相呼應：「儘管受過多年的物理治療和訓練，這位病人仍無法重獲以正常姿勢走路的能力，他的困難是每當一開始要踏步走路，就會把自己往前推……，他無法由椅子上站立起來，無法匍匐前進或做出四肢著地的動作。當站著或走路時，他完全倚賴視覺，一旦閉上眼睛就倒下。起初他閉上眼睛時，無法維持在一張普通椅子上的坐姿，但已逐漸獲得這種能力了。」

❸馬丁也許是當代的神經醫學家裡，唯一經常提到面部和聲音的「態勢」，和它們在本體感受整體上的基礎。當我告訴他克莉絲汀娜的事，並讓他看照片和錄影帶時，他看得極為入神……，事實上，本書許多建議與說明，都是出自於他。

但所有這些方法，充其量也僅具局部效果，它們使生活變成可能，卻無法營造出正常的生活。克莉絲汀娜學著走路，搭公車、捷運，處理日常生活的事務。但她總得不時保持充分的警戒心，動作也千奇百怪。一不留神，就會潰不成軍。譬如說，她要邊說話邊吃飯，把注意力移轉到其他地方時，就會萬般痛苦地使出力量握住刀叉，指甲與指頭在承受壓力後，變得毫無血色；但一旦痛苦的壓力減輕，她立刻會使不上力氣，刀叉掉滿地。所見的動作都是兩極化，毫無變通的餘地。

就這樣，雖然她神經系統（指的是其神經纖維構造上的傷害）沒有復元，不過她在醫院復健部門待了將近一年，在各方照料和給與不同種類的治療之下，其功能的復元，有了相當可觀的成果，也就是說，她學會了運用種種的替代方法或技巧。最後，當情況差不多時，克莉絲汀娜也得以離開醫院，回家和孩子重聚。她又重返家中的電腦螢幕，而且現在技巧更成熟、更有效率，但這一切都是靠視覺、而非靠感覺。她學會了操作，但她的感覺如何呢？是否這些替代方法驅散了她當初所講的「靈魂出竅」的感覺呢？

答案是——一點也沒有。在本體感受作用依舊喪失功能的情形下，她仍持續感覺她的軀殼是死的、不真實的、不屬於她的，以致她無法支配自己。她找不到形容詞來描述，只能借用他種感覺來作類比：「我覺得我的身體又瞎又聾……它對自己一點感覺都沒有。」她找不到直接的字眼來描寫這種被剝奪的感覺，這種於感覺器官上類似失明的黯淡無光或失聰的萬籟俱寂。

她找不到適當的用詞來表達，我們也找不到。

難以言述的心酸

這個社會欠缺表達這種病情的詞彙，也少了同情。盲人或多或少都會被投以關愛的眼神，那是因為我們可以想像盲人的狀況。因此，我們能適時地扶他們一把。但當克莉絲汀娜痛苦而笨拙地攀上一輛公車，她得到的往往是莫名奇妙的眼神和憤怒的咆哮：「搞什麼，小姐？妳是瞎子還是昏了頭？」她能說什麼呢？「我沒有本體感受？」

社會的支持與憐憫付之闕如，等於是雪上加霜。她該歸類為殘障，但失能的性質並不明顯，畢竟她不是瞄上一眼就知道的眼盲或四肢殘疾，或有其他明顯異常的外觀，相反地，她總被當成騙子或笨蛋。會發生這種事，係因病人患的不是從外觀可察覺的疾病（同樣的問題也發生在內耳前庭損傷或做過迷走神經切除手術的病人身上）。

克莉絲汀娜注定要生活在一個無法言喻、難以想像的領域，或者「無領域」、「空無一物」是較適合的字眼。有時侯，在只有我們兩人單獨相處的場合，她會悲從中來：「如果我有感覺就好了！」然後放聲大哭：「但我早就忘了它是什麼樣子了……。我以前也很正常，不是嗎？行動就跟別人一樣自如吧？」

「當然。」

「沒有當然這回事，我不信，我要證明。」

我放了一卷錄影帶，那是在多發性神經炎發生前幾個禮拜，她與孩子一起拍攝的。

「對了，這就是我！」克莉絲汀娜露出微笑，接著又哭了：「但我已經不是這位優雅的女子了，她消失了，我的記憶中沒有她，甚至對她沒有任何一點想像，我的裡頭好像被挖空了，正中央都掏空了……就像我們對青蛙做的事一樣，不是嗎？人們挖出牠們的中樞神經、脊髓，人們斷其髓、取其性命。這就是我，像一隻青蛙被除去脊髓。你們大家請向前一步，來看看克莉絲，第一位遭斷髓的人類，她沒有本體感受作用，對自己沒有知覺。她是靈魂與軀體分離的克莉絲，一個沒有脊髓的女孩！」

她一陣狂笑，近乎歇斯底里，我安撫她：「過來我這裡！」然而，心中卻想著：「她說的對嗎？」

就某種觀點而言，她真的是「脊髓已斷」、「魂魄已飛」的幽靈。她喪失了基本的、天生本質的定位感——至少消失了肉體器官的身分或「軀體的自我意識」，即佛洛依德所認為的自我的基礎：「自我的開端當屬軀體的自我意識。」當身體知覺或身軀印象方面受到深度的干擾時，必然會發生人格的瓦解、真實感的崩毀。

米樹爾在美國內戰時與截肢、神經傷害病人相處的過程中，體驗到這種情況。他對這種情況的描述，無人能及，就像他的病人代洛形容的，他以其著名的半小說式的手法來描述，但不減其現象學上的精確，可說是最好的一篇報導：

我很害怕地發現：有時，我對自己的存在，知覺又比前一次感覺到的更少了。那種感觸是如此新奇，一開始時我真摸不著頭緒，我發覺我不停地問別人，我是不是真的叫喬治・代洛，但話一出口，卻又清楚地察覺到這是多麼荒謬的事。我避免提及這種情況，並且更努力去探究我的各種心境。確信自己所缺乏的，就是做我自己後，往往最令人傷心欲絕、萬般苦痛。除此之外，我所能形容的，就是一種自我觀照的感覺不足。

回復行動自如

對克莉絲汀娜而言，正是這種感覺，這種自我觀照的不足之感，已隨環境的適應和時間的流逝而漸趨淡然。但那種怪異的、建築在器官上的靈魂與肉體分離的感覺，自從她第一天發病後，還是這麼強烈和不可思議。那些脊柱斷裂嚴重的人，也會有這樣的感覺，但他們是肢體殘障；反之，克莉絲汀娜雖然彷彿「沒有身體」，卻能活動自如。

當她的皮膚受到刺激時，她會獲得短暫且局部的解脫。她會儘可能到室外；她愛上敞篷車，坐在車裡，她能感覺到風吹拂過臉龐和身體（她的輕觸表面知覺只稍稍受損）。「太棒了，」她說：「我意識到手臂和臉與風兒的接觸，我能微微地了解到，我應該是有手有臉的人。雖然這不切實際，還是有意義，讓我這臭皮囊暫時得到紓解。」

不過，她的情況還是維根斯坦所言的模樣。她並不清楚什麼是「這是一隻手」，喪失本體感受，不再具備向心性的神經迴路，已剝奪了她存在的、認識自我的基準。無論她怎麼做，怎麼絞盡腦汁去想，也無法改變這個事實。她無法確定她的身體——如果維根斯坦遭遇她的狀況，將會怎麼說呢？

在這種不尋常的狀況下，她雖然戰勝病魔，但也不得不向命運低頭。她成功地學會操控身體，但無法感同身受。她適應的觸角，成功地伸向令人難以置信的領域；而意志、勇氣、執著、獨立自主，以及知覺與神經系統的可塑性，給了她成功的保證。她硬著頭皮迎向前，面對完全陌生的處境，對抗許多超乎想像的障礙與異樣經驗，成了一位不屈不撓，叫人刮目相看的浴火鳳凰，她已成為那些在飽嘗神經疾病之苦後，贏得勝利的無名英雄、英雌中的一員。

然而，終究她還是無法擺脫身體上的缺陷。就算集世上的活力與機智於一身，即便神經系統能夠產生替代與補償的能力，卻一點也無法改變她始終不見起色、全面的失去本體感受的情況。沒有了重要的第六感，永遠無法感覺身體真的存在，真的屬於自己。

可憐的克莉絲汀娜在一九八五年仍是「斷髓」的，就像幾年前一樣，未來也得這樣度過餘生；那種生活是一般人無法體會的。時至今日，就我所得到的資訊，她是首例，也就是第一位「靈魂與軀體分離」的人。

後記

現在，有一大群人和克莉絲汀娜同病相憐。我從第一位發表此病例的休姆伯格醫生處得知，各地正有大量的病人被披露，他們有著嚴重的感覺中樞神經病變，這種症候群最糟的病癥就和克莉絲汀娜的相同，有身軀印象遭受侵害的現象。他們當中絕大部分是健康狂熱者，或熱衷於服用綜合維他命者，且曾大量服用過維他命B_6。所以說，如今已有數百位「靈魂與軀體分離」的飲食男女。不過，不同於克莉絲汀娜的地方是：一旦他們停止吞服維他命B_6來毒害自己，多數人的情況是可獲好轉的。

第四章 被一條怪腿糾纏的男子

他一整天的心情都不錯，
快傍晚時睡了一覺，
醒來後精神飽滿，
直到他在床上挪動了一下身子，
才發現不對勁。
他發現床上有一條「某人的腿」，多可怕的事！
他嚇得瞠目結舌，湧上一陣驚訝與噁心。

多年前，我還是個醫學院的學生時，曾接到一名充滿困惑的護士打來的電話，跟我說了個前所未聞的故事。

她說，她們有位新病人，是個年輕人，早上才入院的。他看上去很親切，也相當正常，整天都是這樣。確切地說，幾分鐘前，在他打了一個小盹醒過來之前，都很正常。但之後他似乎就變得興奮且怪異，完全變了樣。不知怎麼了，他存心要讓自己摔下床。他現在就坐在地板上，大發雷霆地鬼吼鬼叫，拒絕回到床上。她問我能否走一趟，看看是怎麼一回事？

到了那兒，我發現病人躺在病床邊的地板上，瞪著他的一條腿，表情夾雜著憤怒、警戒、困窘和滑稽，其中困窘的成分最多，還隱約透露出驚慌失措。我問他是否要回到床上，或是需要什麼協助；但他好像被這種問題惹毛了，直搖頭。我蹲在他旁邊，撿起丟在地上的病歷卡。

床上出現一條怪腿

他說，早上他是來接受幾項檢驗的，他沒有什麼不舒服的地方，但神經科醫生感覺他有隻「無精打采」的左腳，沒錯，他們用的正是這個字眼，所以認為他該住院。他一整天的心情都不錯，快傍晚時睡了一覺，醒來後精神飽滿，直到他在床上挪動了一下身子，才發現不對勁。根據他的說法，他發現床上有一條「某人的腿」，多可怕的事！

剛開始他嚇得瞠目結舌，湧上一陣驚訝與噁心。他從來沒碰過，也沒想過會有這麼荒唐的事。他小心翼翼地去摸摸那隻腳，它的構造還算完整，只感覺到「獨特」和冰冷。就在這時，他茅塞頓開，明白是怎麼一回事：有人拿他尋開心！開了這個恐怖低級、卻創意十足的玩笑。

今天是除夕夜，大家正大肆慶祝。有半數的職員都喝了酒；喧嘩笑語和鞭炮聲四處流竄，到處是浸淫歡樂的景象。顯然是一名有著恐怖幽默感的搞怪護士，偷偷溜進解剖室，隨手抓起一條腿，並趁他熟睡之際，將那條腿塞入他的床單下，捉弄他一番。這樣的解釋讓他內心舒坦許多；只不過玩笑歸玩笑，這樣做實在有點過火。他把這個鬼玩意兒扔出床外，但是──說到這裡，他幾乎說不下去了，還湧上一陣不寒而慄的哆嗦，臉色也變得慘白──當那條腿被拋出床外時，他也莫名其妙地跟著它一起飛出去，因為那條腿竟然附著在他身上。

「你看它！」他表情激動地大吼著：「你見過這樣令人毛骨悚然的玩意兒嗎？我想屍體應該是沒有生命的，但這太奇怪了，而且不知怎麼了，真是活見鬼，它似乎抓著我不放！」他用雙手緊握著那條腿，使出吃奶般的蠻力，想把它從身上扯下來，只是失敗了。怒火中燒，他搥打著那隻腳。

「不要緊張！」我說：「安靜！放輕鬆！要是我的話，我不會那樣搥打那條腿。」

「為什麼不可以？」他以憤怒又充滿敵意的口氣問我。

「因為那條腿是你的，」我回答他：「你不曉得你身上長著腿？」

左腿到哪兒去了

他凝視著我，眼神中混雜著茫然無措、難以置信、恐懼和可笑，一副覺得我瘋了的表情。

「嘿，醫生！」他說：「你當我是傻瓜呀！你和那護士串通好的，你真不該和病人開這種玩笑！」

「我沒有胡說，」我說：「那是你自己的腿。」他從我臉上的表情看出我是認真的，眼底隨即浮上了驚駭莫名的情緒。「你說這是我的腿，醫生？你不會是想說，人應該認得出自己的腿吧？」

「完全正確，」我回答：「我們應該會認得自己的腿，我沒辦法想像，有人不認識自己的腿，或許是你一直在耍我們？」

「我對天發誓，我沒有……人當然該知道什麼是自己身體的一部分，什麼不是。但這條腿，這玩意兒，」——因為厭惡，他又一次顫慄——「感覺不對勁，感覺不真實，看起來不像是我的。」

「那它像什麼呢？」我納悶地問，現在我和他一樣茫然了。

「它像什麼？」他慢慢地複誦了一遍我的話。「告訴你，它像什麼，它像不存在這世上的東西。我怎麼可能會有這種鬼東西呢？我不清楚它該屬於哪裡……」他的聲音漸趨微弱，一臉惶恐與受驚的表情。

「聽著，」我說：「你的狀況並不好，讓我們把你弄回床上，但我最後想問你一個問題。如果你說，這玩意不是你的左腿（在我們的交談中，他曾一度稱那條腿是個仿製品，並對某人花了那麼大工夫去製造出如此栩栩如生的東西，感到不可思議）。那你自己的左腿到哪兒去了？」

他的臉色再次變得慘白——蒼白得讓我以為他就快昏倒了。「我不知道，」他說：「我一點頭緒也沒有，它失蹤了，不見了，找不到了……。」

後記

這篇故事發表後，我收到著名的神經科醫生克雷姆醫生的一封信。他寫道：

我曾被要求到心臟科病房去看一位病因不明的病人，他患有心房纖維顫動的毛病，並已拿除造成他左側半身不遂的栓塞物。我被要求去看他，是因為他晚上不停地從床上掉下來，而心臟科醫生找不出原因所在。

當我詢問他晚上的情形時，他很直截了當地說，夜裡一覺醒來，總是在床上發現一條冰冷、毛茸茸、死人的腿。他不知是怎麼回事，但也無法忍受它的存在。因此，他用他正常的手腳想把它推出床外，當然囉，這麼一來，身體也會跟著掉下去了。

這個病人可以說是完全失去半身肢體知覺的典型病例。但令人莞爾的是，我無法令他說出，他原來那一邊的腿是不是還跟著他在床上，因為他已被那個不速之客搞得心煩意亂，根本無暇回答我的問題。

第五章

天生我手必有用

她那雙原先毫無生氣、癱軟無力的手，
如今似乎充滿了不可思議的活力與敏銳的觸感。
她不只比一般明眼人更熱切地尋索認識，
更巨細靡遺地去觸摸了解，
還像一位天生的藝術家般，
帶著品味與靜靜欣賞的味道，
充滿了想像與美的感受。
那種撫觸，讓人覺得是一位盲人藝術家的探索。

瑪德琳在一九八〇年住進了紐約附近的聖班迺迪克醫院，時年六十歲。她先天性失明，伴隨腦性麻痺，一輩子都是由家人照顧。根據這番病史，還有她可憐的狀況，例如，痙攣、不自主性的運動，也就是不自主地擺動雙手，再加上視障，我本來以為她應該是既低能又退縮的。

但她一點也不是這樣，而且正好相反：她說話毫不困難，應該說相當流暢（雖然很可惜地，有點受到痙攣症的影響），在在都顯現她是個生意盎然、聰慧過人、又有學問的女士。

「妳讀了不少書，」我說：「你一定把點字摸得熟透了。」

「不，不是這樣的，」她說：「我都是透過有聲書或由別人唸給我聽。我不會點字，一個字也不懂。我沒辦法做任何得用到手的事情，我的手完全不聽使喚。」

她嘲弄似地把手舉起來：「可憐無用的雙手，我甚至感覺不到它們是我身上的一部分。」

這讓我非常驚訝。手部通常不會受到腦性麻痺的牽連，至少不會造成無可救藥的影響：可能會有些痙攣或是無力、變形，卻多少還能派上用場（不像腿部，可能會完全癱瘓，該病名為立特症或腦性雙腿癱瘓症）。

瑪德琳的手有輕微的痙攣與抽搐現象，不過我很快地肯定，她的感覺能力仍然十分完全：她能快速而正確地區分輕柔的碰觸、痛楚、溫度，以及手指頭非自主的動作等。像這類基本的感覺功能都在，然而，在認知的功能上卻喪失殆半。她無法認識或辨認任何東西，我放各樣的物品在她手中，包括我自己的一隻手，她都認不出，她也不會伸手去觸摸；她的手沒有「主動的整合性」的動作，真的就像兩坨麵團般，毫無生氣、完全無用。

我對自己說，這真令人不解。要怎麼解釋呢？最基本的感覺功能並沒有「缺陷」，她的手應該有潛力成為一雙正常的手，可是情況卻不是這樣。有沒有可能那兩隻手失去功能、沒辦法用，是因為她從來不曾使用？會不會是因為打從出生起，她就一直受到「保護」、「照顧」、「小心呵護」，讓她無法如所有的嬰兒一般，出生幾個月就學著去使用雙手？如果是這樣，雖然聽起來匪夷所思，卻是我能想到的唯一假設。她有沒有可能以如今六十高齡，重拾她早該在出生頭幾個禮拜、幾個月就該有的能力？

雙手能動起來嗎

這是否有前例？醫學史上有沒有類似的記載，或者嘗試過？我不曉得，不過我馬上想到了一個可能的類比，就是李昂迪夫與查波羅徹在他們的著作《重建手部功能》裡所描述的。他們提到的情況，病源完全不同：裡頭描述約兩百名士兵在傷重手術之後，產生類似的手部「疏離感」，例如，受傷的手感覺「不像自己的」、「報廢了」、「沒有生命」、「迷失了」，然而其基本的神經、感覺功能卻完好如常。

兩位作者提到了讓直覺（或說手部的知覺）產生功能的「直覺系統」，可能在受傷、手術後的情況下會「脫離」，以致會有幾個禮拜、甚至幾個月，兩隻手變得不管用。就瑪德琳的例子來看，雖然也有相似的「無用」、「沒有生命」、「疏離」的現象，卻是一輩子的。她所需要的不是復原，而是初次去發現雙手、去獲得雙手；不僅是重拾脫離的直覺系統，更是去建立她不曾有的系統。這有可能嗎？

李昂迪夫與查波羅徹所描述的那些受傷的士兵，原先是有正常的手部功能。他們要做的只是去「回憶」那在嚴重受傷過程中遭「遺忘」、「脫離」或「停止活動」的能力。相對地，瑪德琳沒有記憶可以參考，因為她從未使用過她的雙手或雙臂，而且她不覺得自己有手。她沒有餵過自己吃飯、單獨上廁所或者自己伸手做些事；她總是讓別人代勞。六十年來，她就像是個沒手的人在過日子。

這就是我們所面臨的挑戰：雙手具有完整基本感覺功能的病人，卻沒有能力將這些感覺整合，成為認知這個世界與自身的能力；以那雙「無用」的手，她沒有辦法說「我認為、我知道、我要、我要去做」。不過我們總得設法（例如李昂迪夫與查波羅徹藉由他們的病人找出來的法子），讓她主動地去活動或使用她的手。而我們希望，這麼做可以使其感覺整合起來，正如坎培爾所說的：「整合產生於行動中。」

瑪德琳完全同意，還躍躍欲試，但也同時感到迷惑而不抱希望。「我怎麼用我的雙手，」她問：「如果它們只是兩條廢物？」

透過觸覺重新認識世界

歌德曾寫道：「萬事始於行為。」當人面臨道德或生存困境時，這話可能是對的，但人的動作與認知卻不是源自於此。然而在此也總有個突破點：第一步（或第一個字，就像海倫·凱勒當初說出的「水」字）、第一個動作、最初的感覺、第一個衝動，完全是出人意外、從無到有，或者說從沒有感覺到有感覺。萬事始於衝動，不是行為、不是反射，而是衝動；後者比前二者更明顯，也更神祕。我們無法對瑪德琳說：「去做！」但可以暗自期待能有衝動產生；我們可以盼望、可以誘導、甚至去激發這樣的「衝動」。

我想到尋乳的嬰兒。「送食物給瑪德琳時，偶爾假裝不小心，把東西放得遠一點，她碰不到的地方，」我告訴護士：「不要讓她挨餓，不要捉弄她，但是在餵她的時候，不要像平常那麼迅速體貼。」有一天，事情終於發生了，過去不曾有過的狀況出現了。因為又煩又餓，瑪德琳不像平常一樣，耐心地在一旁等待，而是伸出一隻手，摸索著，找到了一個圓圈麵包，把它往嘴裡送。這是六十年來，她第一次用到手。

而這前所未有的手部動作，也讓她在世上可以像個「有行動的個人」（這是夏律敦的話，指一個人透過行動而突出自我）。這也意味了她生平第一遭的手部知覺，使她成為一個完全「有知覺的人」。她初次的經驗、首先認識了麵包，或者麵包類。就像海倫·凱勒認識的第一樣事物、說出的第一句話是水（與水性質相同的東西）。

首次的動作、首次的知覺之後，進步便一日千里。就像她伸出手去探索、碰觸一個麵包，現在，她也帶著新的渴望，伸手探觸全世界。飲食大事打頭陣，去感覺、觸摸各樣食物、碗盤、餐具等等。「認識」在某個程度上來說，是經由半猜半想、迂迴曲折的方式而得的，因為從出生就失明又沒用過手，她腦袋中連最簡單的想像都沒有（海倫・凱勒至少對布料還有想像）。如果她不是聰明過人又飽讀詩書，能夠藉著別人的語言所傳遞的意象來完成、繼續她的想像，她可能一輩子都會像個嬰孩般地無助。

甜甜圈是個圓形的麵包，中間有個洞。叉子是一根長扁狀的物體，有一些尖尖的突起。不過這些初步的分析，很快就被立即的直覺所取代，一樣東西馬上就被認出來了。她對它們的特性和外型已經瞭若指掌，能夠像遇見了特別的老友般，立刻指認。像這樣非經由分析，而是整體立即的反應認知，帶給她很大的快樂，也讓她感覺到自己正在探索一個充滿奇幻、神祕而美麗的世界。

令人讚歎的盲人雕塑家

稀鬆平常的東西也能讓她樂上半天，不僅帶給她愉悅，也刺激她想要複製這些東西的欲望。她要了黏土，開始塑造模型：她的第一件作品是一隻鞋拔。而即使是這樣的小東西，也帶著特殊的力量與幽默，線條流暢、有力、飽滿，令人想起亨利・摩爾早期的風格。

過了一段時間，大約在她認識第一樣東西之後的一個月，她的注意力和喜好開始從物品轉向人。因為即使以純真、樸拙、令人會心一笑的創意來變化形狀，物品所能引發的興趣與可表達的程度，畢竟有限。現在她需要去摸索人的臉和身體，了解靜止和動作時的模樣。

成為瑪德琳感覺的對象，是很棒的經驗。她那雙原先毫無生氣、癱軟無力的手，如今似乎充滿了不可思議的活力與敏銳的觸感。她不只比一般明眼人更熱切地尋索認識，更巨細靡遺地去觸摸了解，還像一位天生（新生）的藝術家般，帶著品味與靜靜欣賞的味道，充滿了想像與美的感受。那種撫觸，讓人覺得不單是個瞎眼婦人的摸索，且是一位盲人藝術家的探索；那是一顆有思想、有創意的心靈，正對這個世界所有的感官與精神領域開啟。那些探觸是那樣急切地想重新表達、重新呈現外在的事實。

她開始雕塑頭像與身體，而且不到一年，已經成為聖班迺迪克附近小有名氣的盲人雕塑家。她的作品通常是原像的一半或四分之三大小，線條簡單但特徵明顯，帶著令人讚歎的表現力。對我、對她、對我們所有的人來說，這個經驗真是令人感動、奇妙難名，簡直就像是神蹟一般。

任何人做夢都想不到，人的基本知覺能力，原本應該在生下來頭幾個月就得到的，卻一直沒有發展出來，而竟然還能在六十幾歲時才獲得。這個經驗開啟了多麼美好的可能性，就是人可以活到老、學到老，而殘障者也會有超乎想像的學習能力。誰又想得到，這位眼睛看不見、半身不遂的女性，一輩子遠離人群、行動不便，受到過度保護，竟然潛藏了如此驚人的藝術天分（她自己跟旁人都沒有料到），而且在蟄伏了六十年之後，創造出罕見而美麗的作品？

後記

不過，後來我發現，瑪德琳並非特例。不到一年，我就遇到另一名病人賽門，他也是腦性麻痺伴隨重度視障。賽門的手雖然正常有力，也有感覺，他卻不常使用自己的手，而且在提東西、觸摸或辨認物品時，特別無能。現在我們的觀念已經因為瑪德琳而改變了，我們懷疑他是不是也有類似的發展性辨識不能，因此，可以如法炮製地來治療。後來真的看到，在瑪德琳身上所成就的情況，也出現在賽門身上。

一年之內，賽門的手在各方面已經變得十分靈巧了，尤其喜歡做一些簡單的木工、雕刻保麗龍和木頭，然後再組合起來，成為簡單的木頭玩具。他沒有雕塑或重新創作的衝動，不像瑪德琳是個天生的藝術家。但，就跟瑪德琳一樣，賽門過了半個世紀不用手的生活，如今每一樣動手做的事情，都令他樂在其中。

這個案例可能更值得一提。因為賽門是個輕度智障者，跟熱情洋溢、天資聰穎的瑪德琳比起來，他只是個頭腦簡單的好好先生。我們可以說瑪德琳是位佼佼者。而海倫．凱勒，百萬人中才出一個這樣的人，但這些說法並不適用於單純的賽門。然而事實卻證明，基本的成就，如手藝的成就，在兩者身上都可能發生。顯然地，在這點上，智商的高低無足輕重，唯一不可或缺的是多加使用雙手。

多動手腳，熟能生巧

像這樣發展性辨識不能的病例可能相當少，但後天的辨識不能卻十分常見。後者也同樣顯示了使用帶來能力的基本原則。所以我不時看到一些病人，因為糖尿病而染上了嚴重的「手套與襪子」的神經性病變。如果該種病變惡化到相當的程度，病人的手腳連麻痺的感覺都不見了，變得無真實感，或者無法了解感覺是什麼。他們可能會覺得（就如某個病人所說的）自己「像個箱子」，手和腳都「消失不見」。有時候他們覺得自己的手腳已經枯乾掉了，只不過像幾坨麵團或石膏般黏在上頭。這種非真實的感覺，如果出現的話，絕大多數是突然發生的。至於回到真實的感覺，如果有的話，也是一下子就回來的。

這是一個非此即彼的關卡，無論就身體功能與本體存在的角度來看，都是如此。這時候，絕對得要求病人去使用手和腳。甚至，如果情勢所需，還要「引誘」他們多加使用。能夠多動手腳，才會有突然回歸現實的可能——那是一種忽然間能夠主觀感覺手腳的存在，而且覺得它們有「生命」的狀況。不過，前提還是需要其生理上有足夠的潛能（一旦神經性的病變已全面惡化，神經末梢已經完全死去，就沒有重返真實的感覺的可能了）。

要進一步說明的是，這類主觀的感覺，絕對有相應的客觀事實基礎：有時我們會發現某人手腳部位的肌肉完全偵測不到電位變化，也有可能發現，從最周邊的感覺到大腦皮質的感覺區，都缺乏激發性電位變化。但只要手腳的感覺因著使用而回歸現實，生理上的狀況也會有一百八十度的轉變。

類似的死去或不實在的感覺，已經在第三章中提到了。

「割」劇魅影

有個水手不小心切掉了自己右手的食指，
從此少了一根指頭。
四十年之後，
他卻為好像突然重新長出來的虛幻手指而飽受困擾。
每次他把右手舉到面前，
例如，吃東西或抓鼻子，
他就怕那隻其實不存在的食指會戳到自己的眼睛。

魅影在腦神經學的用語中，是指身體某部分，通常是肢體，在失去它幾個月或幾年之後，仍然揮之不去的印象或記憶。這類症狀在古早就被發現，美國偉大的神經學家米樹爾在南北戰爭期間與戰後，對此症有詳細的探索與記載。

米樹爾描述了好幾種魅影：有一些如見鬼般地不真實（他稱為感覺鬼影）；有些不由自主的，甚至帶著危險性的，讓人有活生生的感覺；某些魅影會帶來劇烈的疼痛感；有的（大部分）則一點也不痛；有些症狀就像是「音容宛在」，病人還會看見失去的手腳分毫不差的樣子；有的則輪廓模糊、扭曲變形……，除此之外還包括反面的魅影，或稱失落的魅影。

米樹爾也清楚地指出，這一類「身軀印象」的扭曲——這個名詞在十五年後才由海德啟用——導因可能在於中樞神經（感覺皮質區受到刺激或受傷，特別是在腦側葉），或者周邊神經（神經受到撞擊、受損、傳導不順暢或刺激過度、長神經瘤，脊髓神經感覺支或脊髓感覺束遭受干擾）。我對於周邊神經造成的症狀特別感興趣。

接下來的幾篇極短篇，帶點趣味性，都是轉錄自《英國醫學學刊》的「臨床珍品」。

栩栩如生的虛幻手指

有個水手不小心切掉了自己右手的食指，從此少了一根指頭。四十年之後，他卻為好像突然重新長出來的虛幻手指而飽受困擾。每次他把右手舉到面前，例如，吃東西或抓鼻子，他就怕那隻其實不存在的食指會戳到自己的眼睛（其實他也曉得這是不可能的，卻無法排除那種感覺）。

後來他罹患了嚴重的神經性糖尿病，失去所有的感覺，甚至不會感覺到任何手指頭的存在。虛幻手指當然也消失了。

一般都知道中樞型的疾患，例如感覺性中風，能夠「治療」魅影，但周邊性的疾患，又有多少機會能達到同樣的效果？

所有截肢病人都知道，如果要讓義肢發揮效用，手足還存在的感覺是必要的。克雷姆醫生曾經寫道：「它（指魅影的感覺）對於截肢者很有益處。我確信除非身軀印象，也就是魅影的感覺，能夠與義肢融合，否則患者就不能夠行動自如。」

所以，如果魅影不見了，可能很悽慘。而找回魅影，讓它重新活靈活現，就變成了當務之急。可以採行的方法有很多種：米樹爾描述了他怎麼以電流刺激上臂神經，讓消失了二十五年的手臂魅影突然復活。

我也曾有這樣一位病人，他告訴我每天早上如何「喚醒」他的魅影：首先把大腿往內彎曲，然後用力地拍打，「就像在打嬰兒的屁股」，一連打了好幾下。打了五、六下時，魅影就會跑出來。這時候他才能套上他的義肢，起來走路。

不知其他截肢者還有哪些奇怪的法子？

位置魅影

有位患者叫查理，因為有走路不穩、跌倒與暈眩的症狀，懷疑有檢查不出來的內耳障礙，而被送到我們醫院。待仔細詢問之後，才發現他所經驗的並非暈眩，而是一直不斷改變的位置魅影——地板一下子變遠、一下子變近、一會兒上下晃動、一會兒顛簸、一會兒傾斜，用他的話說，就是「像一艘在巨浪中的船」。

結果他發現自己如果不低頭盯著雙腳，就會左搖右晃。他必須依賴視覺來告訴自己雙腳與地板真正的位置，因為感覺已經愈來愈不可靠。但即使是用眼睛，有時也會被感覺所混淆，以致地板跟他的腳看起來都很可怕，而且不斷改變。

我們很快就確定他的毛病是由於結核菌嚴重擴散，感染到了側背部，以致感覺錯亂，產生快速且不規則的身體感覺幻象。每個人都熟悉肺結核末期的症狀，那時候可能會有視覺上的障礙，看不見自己的腳。讀者可曾看過這種嚴重的結核型錯亂所導致的中期症狀——對位置產生魅影？

這名患者的描述，讓我想到自己的一段經歷，是發生在從部分性視盲復原的階段中。這段經歷曾出現在《單腳站立》裡：

我一直站不穩，而且必須低著頭看。後來我知道混亂的來源在哪兒。就在我的腳。或者，應該說，是那隻叫做腳，像粉筆一樣的圓柱體。有時候，那枝粉筆看起來有一千英尺長，有時候只有兩公分；它一下子胖，一下子瘦；這會兒歪那邊，那會兒又歪這邊。它的大小與形狀、位置與角度老是不一樣，一秒鐘可以變個四、五次。變形的程度太大了，每個「形狀」的變化之間，還有千變萬化的轉換樣式。

真實或虛幻

對於魅影，一直有些難解的疑問：它們該不該發生；這到底是不是病；是「真的」？還是假的？相關的文獻令人混淆，但病人卻不會讓人混淆。透過他們的口，澄清了一些有關魅影的事實。

有個神智清楚、被截肢的部位在膝蓋以上的病人，告訴我一件事：

這玩意兒，這條鬼腿，有時候疼起來會要人命，腳趾頭還會扭曲痙攣。到了晚上，拿掉義肢或我閒下來的時候，尤其難過。當我把義肢裝上，開始走動，感覺就消失了。我還能深切感覺到以前那條腿的存在，不過話說回來，它是個好鬼，讓我的義肢有力量，讓我能夠走路。

對這個患者，或對所有的患者而言，趕走「不好」的（或被動的、病態的）魅影，讓

「好」的魅影，也就是對腿部有持續的記憶或印象的魅影，在他們需要的時候能保持鮮活、有力，這樣的用處不就勝於一切的判斷標準嗎？

後記

許多（但不是所有的）有魅影的病人，會有「魅影痛」，也就是在魅影中發生疼痛的困擾。有時候，出現的情況很怪異，不過多半只是很「正常」的痛。持續的疼痛起先出現於已切除的部位，隨後可能擴散到仍然存在的手腳處。

從第一次發表本書至今，我已經收到這類患者寄來許多封精采的信：有位患者說到，那隻鬼腳的趾甲長到肉裡，讓他很不舒服，因為醫生在截肢前，並沒有幫他的病腳剪趾甲。這個現象已持續多年了；不過疼痛的狀況仍有別於正常的趾甲往內長，那種痛是痛到了骨子裡。或者像坐骨神經痛還伴隨著嚴重的椎間盤脫出，只有把那突出的椎間盤除去，疼痛才會消失。像這樣的問題，並不罕見，也不是患者憑空想像，可能需要進行神經生理方面的詳細檢查。

所以，科爾醫生（他是我以前的一個學生，現在是脊髓神經生理學家）就描述過一位婦人，常年飽受腿部魅影的疼痛，後來以來多卡因麻醉脊椎韌帶，可以使魅影得到短暫的麻痺（實際上是消失）；不過隨後以電刺激脊椎末梢，卻在幻腿上產生了清楚的刺痛，不同於往常的隱隱作痛；相反地，刺激脊椎較高處，卻能減輕魅影的疼痛。而科爾醫生也詳細描述了對某位病人進行電療研究的細節（這位病人罹患感覺多發性神經病變長達十四年之久），其內容在許多方面，與第三章的主角克莉絲汀娜所遭遇的十分相似。

第七章

麥貴格的平準眼鏡

他大聲宣布：「沒錯，醫生，我有辦法了！

我不需要鏡子，只需要一個平準器。

我不能用腦子裡的平準器，

但為什麼不能用腦袋外頭的呢？

用我看得到的平準器，

用我的眼睛目測，這樣不是很好嗎？」

他把眼鏡摘下來，在眼鏡上仔細比畫，笑逐顏開。

從我第一次在聖敦士丹的神經科醫院見到麥貴格先生至今，已經九年了。那是家老人醫院，我在那兒工作過一段時間。不過我還記得他，他的模樣沒什麼改變。

「怎麼了？」當他進入診療室時，我問他。

「怎麼了？沒怎麼樣啊。至少我不覺得有問題……不過別人一直說我身子歪一邊：『你好像比薩斜塔，』他們說：『再斜一點，你就會倒下來了。』」

「可是你沒有這種感覺？」

「我覺得很好啊。我不曉得他們指的是什麼。我怎麼會歪著身子，自己卻不知道？」

「聽起來是滿奇怪的，」我同意：「我們來看一下。你站起來，走兩步路讓我看看，就從這裡走到那面牆、再走回來。我來看，我也要你自己看看。我們來把你走路的樣子錄下來，然後放出來看看。」

「我也是這麼想，醫生。」他說，然後，經過一番努力，站了起來。

多麼挺拔的老先生啊，我心裡想。他已經九十三歲了，可是看起來不過七十歲；神采奕奕、腦筋清楚，大概到了一百歲都還會是如此。而且身子骨看起來還像個礦工一樣地健壯，雖然有點兒帕金森症，但沒啥妨礙。他踏出步伐，非常自信，而且健步如飛，但是卻斜一邊，差不多有二十度角，整個重心往左傾，差一點點就無法保持平衡。

「到了！」他說，臉上還露出了滿意的表情：「看吧！沒問題。我走起路來直得像顆骰子。」

「真的嗎，麥貴格先生？」我問他：「我希望你自己來判斷一下。」

我把錄影帶倒回去再播放。當他看到自己在螢幕上的樣子，著實震驚不已。他目瞪口呆，嘴裡喃喃說道：「該死！」接著：「他們說得沒錯，我是歪一邊。從這裡我可以看得很清楚，可是我並沒有意識到，一點感覺也沒有。」

「這就是了，」我說：「這就是問題的癥結所在。」

失去了才懂得珍惜

因為我們有五種感官知覺，所以我們能讚美、認知、欣喜，有了感官，外在的世界才有意義。但除此之外，還有其他的感覺，如神祕的感覺或第六感（如果要這麼說的話），也同樣重要，卻不被察覺，也容易被忽略。這些感覺是沒有意識、自然反應的，需要刻意去發現。

從歷史上來看，它們被發現的時間也比較晚：維多利亞時代的人，籠統地稱之為「肌肉的感覺」，這種對於軀體與手足之間相對位置的認知，是來自於關節與肌腱之間的感應官能。一直到一八九〇年，才對它們下了清楚的定義（稱為本體感受）。靠這個感應機制的掌控，我們的身體才能協調得好，並且保持平衡。這些功能是到了本世紀，才被定義清楚，不過仍然有許多未解的謎。

或許要到了外太空的時代，一邊享受沒有地心引力的生活，一邊忍受它的不便時，我們才會真的感謝控制我們身體動靜行走的內耳、前庭，以及其他隱而未見的感受器和反射機能。不過一般人平常根本不會覺察到它們的存在。

然而，一旦它們真的不見了，影響卻相當地明顯。這些被忽視的神祕感覺如果功能上有缺陷，或是被扭曲了，我們會強烈地經驗到一種奇怪、幾乎無法與外界溝通的狀況，那種感覺跟瞎了或聾了沒有兩樣。如果完全把本體感受排除掉，可以說，身體將是瞎的或聾的，身體將不再「擁有」它自己，不再感覺到自己就是自己（見第三章）。

眼前的老人一時之間變得相當專注，眉頭深鎖、嘴唇緊閉。他站著一動也不動，陷在沉思當中。我很喜歡觀看這幅景象：患者在一窺真相的那一剎那，震驚之餘，又覺得好笑。第一次真正了解到毛病出在哪裡；同時，決心要好好對付它。這一刻，就已經是治療的開始了。

「讓我想想，我們來想想看，」他唸唸有詞，有點兒自言自語。將兩道濃濃的白眉拉近眼睛之處，用他嶙峋有力的大手，搓著眉骨上的每一點。「讓我想想看。你跟我一起想，一定有個答案的！我往一邊歪斜，但是感覺不出來，對不對？」他停了一下，「我以前是個木匠，」他說，臉上又浮現光彩：「我們會用酒精平準器來看看木頭的表面是不是平的，是不是歪了一些。腦子裡有類似的平準器嗎？」

我點頭。

「會不會是因為帕金森症而損壞？」

我又點頭。

「我的狀況是這樣嗎？」

我第三次點頭，連連應道：「沒錯、沒錯、沒錯。」

大腦裡的控制系統

談到平準器，麥貴格提出了一個基本的類比，可以比擬腦中不可或缺的控制系統。內耳的構造就實質上或寓意上來看，就像平準器，內耳中有半圓形的管道，裡頭有隨時受到監控的液體。不過出問題的地方不在這裡，而是他的平衡機制、身體對自身的感受，以及身體對外界的「視覺圖像失靈了」。麥貴格簡單的比喻，不只可以用在內耳的平衡，也可以比喻三項神祕感覺的複雜整合：內耳、本體感受與視覺。帕金森症患者所受損的部分就是這種綜合機制。

對這項整合機制最深入、也最實用的研究，也同時探討了帕金森症中這樣的機制分散掉的情況，是由已故、偉大的馬丁醫生所做，記載在其精采的著作《基底核與姿勢》裡（該著作於一九六七年初版，但後來幾年陸續有改版與增添，他去世之前完成一個新的版本）。談到腦中這項整合的功能或整合的機制，他寫道：「腦中必定有一中心，或更高的『權威』……；或者說某種『控制者』。這個控制者或更高權威，會收到消息，知道身體是否處於平衡的狀態。」

在談論「傾斜反應」那一部分，馬丁強調如要保持穩定、筆直的姿勢，需要三方感覺一起運作。他也指出帕金森患者常會有平衡感不協調的時候，特別是因內耳部分的功能常比本體感受和視覺更早失去。這三方的控制系統，可以說是一方感受、一方控制，而且可以互補，雖然不是全部可以（因為感覺的能力還是有所不同），但至少有部分能互補，並發揮相當的功能。

視覺的反射和控制，通常可能是最不重要的。只要我們的前庭與本體感受系統能夠作用，即使閉著眼睛，我們還是可以保持平衡。眼睛闔起來，我們並不會因此就身子歪一邊，或是跌倒。但是平衡已經不穩的帕金森病人卻可能如此（常可以看到帕金森症患者坐著時，偏斜得厲害，他們自己卻毫不知情。不過只要放一面鏡子在眼前，他們就會知道，而且立刻坐直）。

想到一個好主意

本體感受，在相當程度上，可以彌補內耳的缺陷。所以動手術除掉內耳的人（有時候是為了解除嚴重的梅尼爾氏症候群造成的痛苦暈眩感），雖然剛開始會站不起來，連踏出一步都有困難，後來卻能學習使用、增強他們的本體感受，尤其是去使用兩邊背側肌肉上廣布的感受器，作為取得平衡最好的機制；這兩側的本體感受器，就好像長在身體兩邊的大翅膀。一旦患者熟練了，成為他們的第二本能，就能夠站立、行走。雖不完美，但已經夠安穩、夠自在了。

馬丁設想得非常周到，又具有創意；他設計了各式各樣的方法和工具，讓即使是最嚴重障礙的帕金森症患者，也能夠靠著外力幫助，取得正常的步履和姿勢。在這方面，他也經常從患者身上得到啟發（他那本偉大的著作正是獻給他的患者的）。他是人道的先驅，這樣的思想是其醫學知識和作為的中心：患者與醫生是平等互惠的，站在同一地位，從彼此身上學習，也互相幫助，藉此對疾病獲得新的了解和治療之道。不過，就我所知，對於像麥貴格先生這樣，平衡感與前庭反射受損的問題糾纏在一起的患者，他並沒有設計出對應的輔助器材。

「問題就是這樣，對不對？」麥貴格先生問我：「我沒辦法用我腦子裡的平準器，也沒法子用我的耳朵，不過我可以用眼睛。」帶點惡作劇和實驗的味道，他把頭歪向一邊說：「現在看起來如常了，世界沒有傾斜。」然後他要求照鏡子，我把一面長鏡推到他面前。「現在我看到自己是歪的，」他說：「現在我可以站直了！或許可以保持直挺的……，但我不可能活在鏡子堆裡，也不能走到哪，鏡子就跟到哪。」

他再度陷入沉思，皺著眉頭專心想事情！接著一下子又是一副了然於胸的表情，嘴角揚起笑容。「我有辦法了！」他大聲宣布：「沒錯，醫生，我有辦法了！我不需要鏡子，只需要一個平準器。我不能用腦子裡的平準器，但為什麼不能用腦袋外頭的呢？用我看得到的平準器，用我的眼睛目測，這樣不是很好嗎？」他把眼鏡摘下來，在眼鏡上仔細比畫，笑逐顏開。

「這裡，舉個例子，可以放在我眼鏡的鏡緣，它可以告訴我，告訴我的眼睛，我是不是歪掉了。我起先要費神留意，可能會相當辛苦。但過一陣子就會習以為常，很自然地做了。好啦，醫生，你的看法如何？」

「這點子實在太棒了，麥貴格先生，咱們來試試看。」

造福病患的獨家眼鏡

原理很清楚，要做出道具來還是有點麻煩。我們起先嘗試用個鐘擺一樣的東西，從眼鏡框上垂下來，但這樣離眼睛太近了，近得幾乎看不見。後來，得到我們眼科醫生和器材室的幫忙，我們做了個夾子，從眼鏡貼著鼻樑的地方伸出去，大約兩個鼻子遠，夾子的兩邊各裝了一個縮小的平準器。

我們設計了不少樣子，都經過麥貴格試驗與修正過。幾個禮拜之後，基本的東西已經做出來了，是一副平準眼鏡：「前無古人的一副！」麥貴格說，帶著志得意滿的表情。他把眼鏡戴上。看起來有點笨重，而且怪異，不過不會比當時市面上連著眼鏡的助聽器怪到哪裡去。

現在，一幅奇異的景象就要出現眼前了。麥貴格戴著他發明的平準眼鏡，眼珠子死盯著不動，好像一個舵手看著船上的羅盤一樣。而這的確發生了效用，至少他的身軀不再傾斜了。這是個不能停下來，而且很累人的練習。然而，經過了前面幾個禮拜的折磨之後，就愈來愈容易；他已經可以無意識地盯著他的「工具」看，就像開車的人可以用一隻眼睛看著儀表板，還能夠自由自在地想事情、聊天、做別的事。

麥貴格的眼鏡在聖敦士丹醫院掀起了一陣流行風。我們有幾個帕金森症病人，也是平衡反應與姿勢反射功能受損，這樣的毛病不僅棘手，也不容易治療。很快地，就有第二個病人，然後第三個病人，戴上了麥貴格的平準眼鏡，而且他們現在都跟他一樣，可以走得筆直。

第八章 左邊怎麼不見了

不管是對周圍的世界，或自己的身體，
她已經完全失去「左邊」的概念了。
有時候艾斯太太埋怨餐點太少了，
其實是因為她只吃了盤中右半邊的，
她不會想到還有左半邊。
偶爾，艾斯太太也會塗塗口紅，
在右臉上妝，卻完全忽略了左臉，
因為她的注意力無法移轉到左邊。

艾斯太太稟性聰慧，她年約六十，中風情況嚴重，以致影響到右大腦的深後方。不過她還是保有了智力，以及幽默感。

她有時候會向護士抱怨，說她們沒有把點心或咖啡放在她的盤子裡。護士會說：「可是，艾斯太太，東西就在那裡呀，在左邊。」艾斯太太好像沒辦法了解護士說的話，也不會往左看。如果她的頭稍稍轉一下，點心映入了右眼簾，也就是她腦子還保有功能的那半邊，艾斯太太就會說：「喔，看到了。但它原來不是在這裡。」不管是對周圍的世界，或自己的身體，她已經完全失去「左邊」的概念了。有時候艾斯太太埋怨餐點太少了，其實是因為她只吃了盤中右半邊的，她不會想到還有左半邊。

偶爾，艾斯太太也會塗塗口紅，在右臉上妝，卻完全忽略了左臉。要顧及左臉已經不可能了，因為她的注意力無法移轉到左邊，除非醫生或別人提醒她，不然她不會察覺有什麼不對勁。她對此能夠理解，也覺得好笑，卻無法靠自己直接察覺。

向右轉、再向右轉

因為智識上能明瞭，也能推測情況是怎麼回事，她找出了一套對策來因應自己的毛病。她無法往左看，也不能向左轉，所以她的辦法就是向右轉，而且是整整向右轉一圈。經她的要求，醫院提供了一台能轉圈的輪椅。現在，如果她找不到某些她知道應該放在哪裡的東西，她便開始向右轉圈，直到瞧見了為止。她發覺找不到咖啡時，這招很管用。

盤中餐點看起來分量太少時，她也向右轉，轉到原先沒看到的那一半出現時才停下來，然後把它們吃掉，或者說，把其中一半吃掉。這樣，她就不會那麼餓了。不過，如果還是沒吃飽，或是她想到，自己可能只吃了原先不見了的那一半的一半，那麼她就再轉第二次，直到看見了那剩下的四分之一才停下來，再吃掉一半。通常這樣也就夠了，畢竟已經吃掉八分之七的餐點了。但，如果哪一天餓得特別厲害，或者嘴饞，她可能還會再轉第三次，再吃掉那剩下的十六分之一的食物（當然，盤子裡還留了剩餘的十六分之一）。

「實在挺荒唐的，」她說：「我好像季諾的箭，永遠到不了終點。看起來可能很滑稽，不過在這種狀況下，我還能怎麼辦呢？」

照理來說，轉盤子應該比把自己弄得團團轉來得簡單。她也同意，而且嘗試過，至少是試著去做。怪的是，很難這麼做，不像在輪椅上轉圈那麼順心。這是因為她的視覺、注意力、反射與衝動，如今都已徹底且直覺地向右。

化妝只化了半張臉

她最感到挫折的，是粧只化了一半，左臉因沒有塗口紅與腮紅，惹來別人訕笑。「我照著鏡子」她說：「看得到的地方都上妝了。」於是我們想：是不是有哪種鏡子，可以讓她從鏡子右邊看到左邊的臉？如果有的話，那麼這面鏡子就不是「照著」她，而應該是像別人「看著」她一般。

後來我們嘗試錄放系統，用攝影機和螢幕對著她，結果很可怕，而且怪異。因為，把放影機的螢幕當鏡子使用，她是從右邊看到左邊的臉。即使是一般人，這種經驗都足以把人給搞迷糊（就像有人想對著錄放影機的螢幕刮鬍子一樣），對她來說，難上加難。因為中風之後，她所看到的左臉跟身體已失去感覺，對她而言，它們等於不存在了。

「把它拿走！」她感到迷惘、受挫，哭了起來，所以我們就不再動這方面的腦筋了。不過有點可惜，因為葛瑞果利醫生也曾經往這個方向思考過，認為透過錄放系統來幫助半邊無注意力或左半邊消失的病人，應該是大有可為的。但這種方式，在物質世界（其實也相當形而上）裡卻又太讓人困惑，只有透過實驗才能證實能否行得通。

後記

電腦及電腦遊戲（一九七六年我認識艾斯太太的時候尚未出現這些東西），可能對於一邊失去功能的病人也相當有用，可以幫助他們尋找「失去」的那半邊，或者教導他們自己去找。

我在一九八六年曾經以此為主題，拍了一部短片。

在本書第一版時，我沒有提供一本非常重要的參考著作：《行為神經學原理》。

（一九八五年於費城出版）。我忍不住要引用該書編者對於「忽略症」所做的一段精采描述：

忽略症嚴重的時候，患者的表現看起來，就像宇宙的半邊突然不再以任何形式存在……。半邊忽略症的病人，不只表現得好像左半邊什麼事物也沒有，也好像那一邊完全不可能出現任何事物了。

第九章 謊言不侵的世界

我有時候會覺得，撒謊騙不了失語症患者，
因為他無法掌握你話語的意思，
所以無法用言詞欺騙他們；
而他所捉住的訊息，卻準確得不得了，
也就是透過那些伴隨著語言而來的表情，
那些常常不由自主地顯露出來、
無法模仿或造假的表情，來判斷你是否可信。

發生什麼事了？總統的演說才剛開始，失語症病房區就傳來哄堂大笑，而這些人是這麼熱切地想聽總統講話。

就是他，那個迷人的老小子，原本是個演員（譯注：指美國前總統雷根），挾著他那口若懸河、博古論今、引人入勝的言談，所有的病人都被逗得哈哈大笑。不過，也不能說是全部的人：有幾個人一副神色茫然的樣子；有些人看起來很憤慨，還有一、兩個人似乎若有所悟，不過大部分的人看起來都挺愉快的。

總統還是像以前一樣能打動人心，不過他能打動他們，顯然是因為能引人發笑。這些病人的腦袋裡在想什麼呢？他們能理解總統說的話嗎？或者，他們可能是太了解他了？

一般人都以為這類病人，雖然有嚴重的失語症，無法了解語言的意義，卻能夠知道別人對他說的話的大部分意思。熟悉他們的朋友、親戚或護士，有時候很難相信他們患了失語症。

原因是，當自然地表達時，他們能抓住某些或大部分的意思。而人自然是「自然地」在說話。

所以，要揭露他們失語的症狀，必須要像神經科醫生一樣，用不自然的方式說很長一段話，以除去所有外在的線索，包括抑揚頓挫、聲調、暗示性的強調或聲音變化，還有所有的視覺線索，例如，表情、手勢、人所有不自覺的表達方式與肢體動作；必須把這一切都拿掉，把說話化約成最純粹的字句。這意味著可能要把整個人的性格隱藏起來，讓聲音不帶人性，甚至像電腦在說話。讓話語完全沒有傅雷格所稱的「聲音的表情」或「情緒的波動」。碰到最敏銳的患者，只有用這樣幾乎是不自然的、機械的話語來測試，就如同「星艦迷航記」裡的電腦所發出的聲音，才有辦法完全肯定他們是否得了失語症。

從語調聽出隱藏的情緒

為什麼要這樣做？因為語言（自然的語言），不僅僅包含字彙，還包括了說話的方式。我們是用整個人來表達全部的意思。而要了解這些話，所需要的訊息遠遠多於只是了解表面上的字彙。失語症患者便是從中得到線索，即使他們完全無法理解字句的意思，還是可以知道別人在說什麼。即使對詞句本身，例如句子結構等等，可能不知其所以然，但是說話時通常充滿了「語調」，那是種超越語言的表達——雖然失語症患者了解字句的功能已經完全喪失了，卻還保有對這些深沉、多樣複雜、細微的表達方式的理解。他們不只是保有這種能力，很多時候還更進一步，即不尋常地增強。

那些跟患者一起工作或同住的人，像是他們的家人、朋友或醫護人員，在一些令人訝異，或者讓人發笑、戲劇化的情況下，更能觀察到這種現象。起初我們或許看不到什麼太了不起的事。但接著就看到了很大的改變：他們理解語言的能力，簡直出現了大逆轉。沒錯，有些能力是失去了、遭到破壞了，但替代的能力卻也出現了，而且功能大為增強。所以，即便每個字都莫名其妙，病人還是可能掌握完整的意思。

上述這種現象，似乎把靈長類動物的秩序翻轉過來。翻轉，或者也可說是一種回轉；轉向更原始、更基本的方式。或許這正是傑克森用狗來比喻失語症患者的原因（這種比喻可能會讓雙方都不太高興）。不過當他打這個比方時，主要是想到狗無法用語言溝通，而不是想到狗非常敏感，幾乎能夠正確無誤地捕捉到語調與感情的訊息。海德在這方面的觀察就比較敏銳，在他的失語症診療紀錄上，就談到了「有感情的語調」，並且特別指出患者如何保有這方面的能力，同時不減反增的現象。

表情洩漏了真相

我有時候會覺得，撒謊騙不了失語症患者；所有跟這些患者互動的人，也有同樣的感覺。因為他無法掌握你話語的意思，所以無法用言詞欺騙他們；而他所捉住的訊息，卻準確得不得了，也就是透過那些伴隨著語言而來的表情，那些常常不由自主地顯露出來、無法模仿或造假的表情，來判斷你是否可信。

我們從狗的身上可以發現這點。因此，當我們對人有所懷疑、也無法信任自己的直覺時，就常用狗來找出別人有無欺騙、敵意或可疑的企圖，讓我們得知誰是可以信任的，誰是前後一致的，誰是老老實實的。

在識人這方面，狗能做到的，失語症患者也可以，而且更人性，理解的層次也比狗高了許多。「人可以用嘴巴說謊，」尼采寫道：「但說話時臉上扭曲的表情，卻透露了真相。」這類臉部的扭曲，或任何肢體動作、姿勢，所洩露出來的虛假、不合宜的舉措，都逃不過失語症患者銳利的眼睛。

如果他們的眼睛看不見，他們的耳朵則不會錯失任何聲音上的變化，可以查驗聲調、節奏、抑揚頓挫、音樂、最細微的變調、轉折或高低起伏等。這些變化能讓一個人的聲音富有表情，也可以讓聲音顯得平板單調。

這些變化，賦與患者理解的力量。這樣的理解不需要透過語言，也不受言語真偽的影響。因此正是這樣的假面具、裝腔作勢的模樣、與事實不符的姿態，尤其是格外做作的聲調與抑揚頓挫，讓這些無法說話、卻十分敏銳的患者，體驗到當中的虛偽。

引起我那些失語症患者反應的，是那極度花俏的用語，甚至是怪異的不協調與不恰當；把話說得再漂亮，他們也不會上當。這就是為什麼他們聽總統說話時會發笑了。

如果說謊騙不了某些失語症患者，是因為他們對表情、聲調特別敏銳，那麼我們可能會問：那些對於聲調、表情沒有感覺，卻能完全理解字句的病人，也就是完全相反的類型，又會是如何？我們也有這樣的患者。這些人還是被歸在失語症病房區，雖然從技術上來看，這些人並不是失語，而是一種「辨識不能」，特別稱為「音調辨識不能」。這些人主要的症狀是聲音的表情特質，包括聲調、音色、感情、整個人的性格，都不存在了，但仍可以完全了解字句意涵及文法結構。這類的音調辨識不能，跟大腦右顳葉的功能失調有關；相反地，失語症的病源則在左顳葉。

在我們的失語症病房區裡，有一位右顳葉上長了神經膠質瘤的患者，名叫艾蜜麗，她也聽了總統演說。艾蜜麗以前是英文老師，也是小有名氣的詩人，對於語言的感受特別敏銳，非常擅長分析和用言語傳情，她也能夠用相反的方式來說話，就像總統演說在音調辨識失能者耳中聽起來那樣的平板、毫無感情。

保持距離，不受矇騙

如今，艾蜜麗不再能夠分辨某個聲調究竟是生氣、高興或者難過，她聽不出任何一種感情。由於現在聲音失去了表情，她必須盯著別人的臉，看他們說話時的神態、動作，那種費力與緊張的情況，是她過去所不曾經歷過的。即使是這樣，老天還不放過她，她還罹患了惡性青光眼，視力惡化得很快。

到了這個地步，她發現自己得特別留意字與句的用法，要力求精確，並且堅持周圍的人也要如此。她愈來愈難理解結構鬆散的話語或俚語，因為這類話語通常帶著隱喻或玄機。艾蜜麗也一再要求和她對話的人要說白話文，特別是「在適當的地方說適當的話語」。她發現，平淡無奇的說話方式，多少可以彌補無法感受聲調與情感的遺憾。

透過這樣的方法，她能夠保有、甚至是增加了使用「表達式」語言的能力。運用這種方法，語言的意義完全來自於適當的反應與字句的推敲——縱然她已逐漸失去「挑動性」語言的能力（指的是聲調的運用與感受）。

艾蜜麗也聽了總統的演說，不過是面無表情的。演說內容經由她那部分產生障礙，卻也部分發生增強的理解力來消化，而理解的方式與失語症患者恰恰相反。總統的演說無法讓她感動，現在已經沒有什麼話能讓她感動。所有打動人心的話，無論是真心或假意，對她猶如馬耳東風。

失去了對情緒的反應，她是不是就變得糊塗或容易受騙？才不是這樣呢！「總統的話無法令人信服，」艾蜜麗說：「演講內容單調乏味。用字遣詞不精確。他不是腦袋有問題，就是想隱瞞一些事。」看來，總統的演說對艾蜜麗也沒效，因為她對於語言正式用法的感覺增強了，那種辨識能力，不遜於失語症患者不受語言影響，而對聲調有強烈感受的能力。

總統的話無法討好任何人。我們正常人，帶著想被愚弄的心態，就真的被愚弄了。我們的話裡充滿了不老實的語句，再加上虛偽做作的聲調，只有腦部受傷的人能保持距離，不受矇騙。

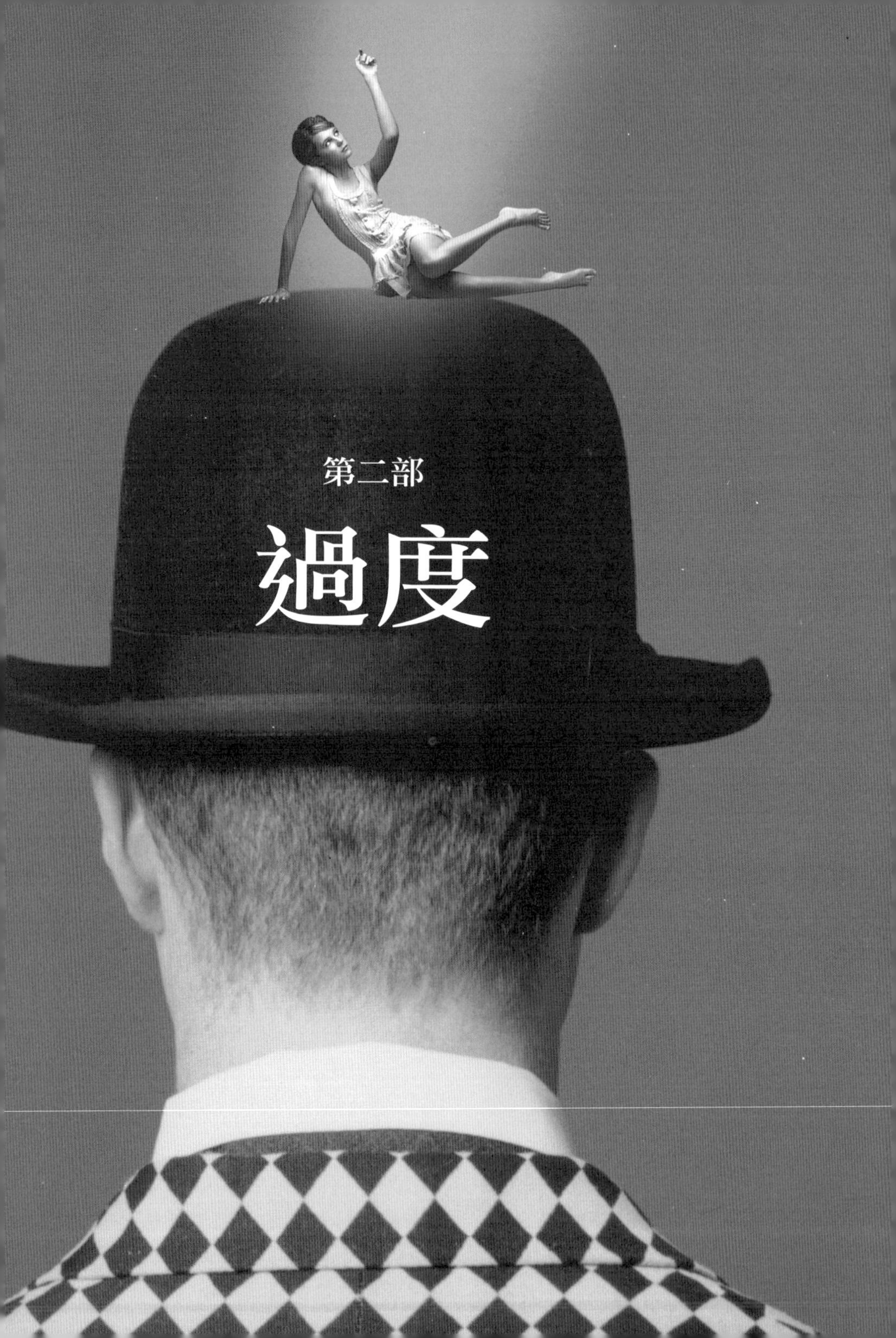

第二部

過度

所有「過度」的情況，都可能變得很可怕，
完全不按牌理出牌，而且錯誤百出：
例如運動機能過度，可能演變成運動機能錯亂，
也就是不正常的肢體動作，像是舞蹈症、抽搐等；
而熱情過度，則會變成暴力的情緒。
這種介於疾病與健康之間，一體兩面的矛盾，
是自然界的一種詭計與諷刺。
它讓人覺得很健康、很幸福，
卻在後來露出潛在猙獰的本質。

導言

生命中無法承受之豐沛

我們之前說過，「不足」是腦神經學最喜歡用的字，實際上，這只是一個形容任何功能受到干擾的字眼。無論功能（就像容電器或保險絲）是健全或者有缺陷、失常，神經系統本身其實是一套容量與傳導的系統，在它的運作上，還存在著哪些可能性呢？

如果不是不足，而是相反的，功能過多或過量呢？對於這種狀況，神經學沒有病名——因為缺乏概念。功能或功能系統，向來被認為只有運作或不運作這兩種狀況。所以，屬於「精力充沛」或「生產力過高」的毛病，可以說是挑戰了基礎的神經學概念。不用說，這也是為什麼此類病症普遍而惱人，值得重視，卻一直沒有得到應有的關注。

提到亢奮和生產力過高時，人們把它當成精神病，病名是過度幻想、衝動性的行為或躁症。當說到這類病人生理上的物質過多或畸形時，就又變成解剖學或病理學的領域，認為是畸胎瘤所促使。然而，卻欠缺從生理學的角度而來的解釋，因為生理學不討論畸形或狂躁。單就這一點，就足以顯示我們對於神經系統最基礎的概念與看法嚴重不足；我們把神經系統看成一部機器或電腦。事實上，還應該有更動態、更靈活的方式來看待它。

過度所造成的失調

單是看功能不足的病症時，還不會明顯感覺這種學理上嚴重的缺憾。我們在第一部所談的都屬不足型的病症。然而，一旦開始談到過度的問題時，馬上就看得很清楚——不是失憶，而是過度記憶；不是辨識不能，而是過度辨識（譯注：因認知能力過度旺盛，以致於產生感覺之曲解，甚至妄想的情況）；還有其他想得到冠上「過度」字眼的病症。

古典派的傑克森式神經學理論，從未思考因「過度」帶來的功能失調。所謂的過度，指的是功能太過充分或是不斷萌發新的功能。沒錯，傑克森自己曾經提到過「過度生理」及「超正向」的狀況。但說到此處，我們得說，他就不是那麼認真以對，而是當成一種好玩的現象，或只是把臨床的經驗忠實地描述一番而已。這種症狀跟他對於神經功能運作的理解並不相符（而傑克森的特色，也就在於他並沒有隱晦這種矛盾現象，這使他的著作帶著自然主義與嚴謹的形式主義並陳的魅力）。

我們必須到當代，才勉強找得到一個願意思考「過度」這個問題的神經學家。盧力亞的兩本臨床自傳，恰好兩面並陳：《活在分崩離析世界裡的男人》談的是功能喪失，《記憶大師的心靈》則是談功能過度。後者比前者更有趣，而且更具原創性，因為，它可以說是一本探討想像力與記憶的書（古典的神經學不可能探討這樣的題目）。

在《睡人》一書中也談到：使用左多巴之前是嚴重的不足症狀——肌肉麻痺、無意志力、衰弱、無力等，使用之後，過度的現象則同樣恐怖——運動機能亢進、肌肉過度活動等。介於兩者之間才是一種內在的平衡。

從這當中，我們看到一套新的字彙與觀念：它們談的不只是功能，如衝動、意志、精力等，而是基本上從動態的角度（古典神經學主要是靜態的）來看。在《記憶大師的心靈》中，我們看到更高秩序的動態在活動，幾乎無法控制的聯想與想像，不斷爆發出來，思想像洪水猛獸般地湧現，好像心靈長了畸胎瘤，而書中那位過度記憶患者，則將此現象稱為「它」。

不過用「它」來稱呼，也還是太機械化了。「萌發」比較能說明整個過程中那種停不下來的活潑特質。在記憶大師，或是我那些使用了左多巴而精力過度旺盛的病人身上，都可以看到一種過分充沛的活力，非常的野性，甚至瘋狂，那種情形並不僅是過度，而是一種有機的增殖或增生；也不只是不平衡或功能失調，而是全然新生的失序狀態。

探索心靈的生命力

失憶症或辨識不能的例子，或許會讓人認為那只是功能或能力受損，但從過度記憶，或過度辨識的患者身上，卻看到我們的記憶力與辨識力，內在是極為活躍，且隨時隨地在增生繁衍的。這樣的能力不只與生俱來，還隱藏了相當的破壞力。也因此我們不得不從功能神經學，轉向活動神經學、生命神經學。過度型的疾病，促使我們走向這一步——沒有這一步，就無法開始探索「心靈的生命力」。

傳統的神經學，由於其機械性及強調的重點在於不足的部分，我們無法從中得知所有腦部功能自發性的生命。而這樣的生命，至少在想像力、記憶力與認知能力上是存在的。傳統的神經學讓人看不到心靈的生命力。而我們接下來要探討的，就是這一類心靈生命力錯置的現象；它們通常都是處於一種活動增強的狀態，而且每個個案都不同。

增強的結果，有可能是正常的豐富與充沛，卻更可能是過度、脫軌或畸形等不妙的情況。在《睡人》一書裡，不斷出現的就是一種過了頭的問題：病人因為過度興奮，變得無法協調與控制自己；他們的衝動力、想像力與意志都變得太強，生物性的部分，猶如脫韁野馬一般。

這樣的危險，存在於生命與生長的本質當中。生長可能變成了過度生長，生命成了過度生命。所有「過度」的情況，都可能變得很可怕，完全不按牌理出牌，而且錯誤百出：例如運動機能過度，可能演變成運動機能錯亂，也就是不正常的肢體動作，像是舞蹈症、抽搐等；過度辨識差不多都會因高度活動的感官，而導致辨識錯亂，即病態性提升之感官的倒置或幻象等；而熱情過度，則會變成暴力的情緒。

這種介於疾病與健康之間，一體兩面的矛盾，是自然界的一種詭計與諷刺。它讓人覺得很健康、很幸福，卻在後來露出潛在猙獰的本質。它也迷惑了許多藝術家，特別是那些將藝術與病態等同視之的人。這類結合了享樂、肉體快感與邪惡的主題，不斷出現在托瑪斯・曼的作品當中，從顛狂至極的《魔山》到《浮士德》中病態的靈感，以及最後作品《黑天鵝》所呈現的淫亂之惡，都是如此。

美好的表象之下暗藏危險

如此諷刺的情況，總是讓我玩味不已，也曾為文探討。在《偏頭痛》一書中，談到的是在攻擊行為出現之前，或剛出現時的亢奮。引用艾略特的話，就是一種「好得危險」的感覺。這種感覺，對於艾略特來說，常常是攻擊行為出現的徵兆或前兆。「好得危險」諷刺的地方在於：它恰恰表達了感覺「太好」時，可喜、可怕同時存在的矛盾。

感覺「很好」時，自然是沒有理由抱怨。人總是樂在其中，這種感覺離抱怨最遠。人們只會啧啧於不舒服的感覺，而不會埋怨太舒服。除非，像艾略特一樣，他們也暗暗感覺到有點「不對勁」或危險。他們能察覺，若不是經由知識或聯想，就是因為那種好的感覺實在好得太過頭了。所以，雖然病人很少會抱怨他們「太好了」，但真有這種太好的感覺時，他們也會覺得不安。

這就是《睡人》的中心主題，而且可說頗為殘忍，因為病人纏綿病榻數十年，無知無覺，突然發現自己奇蹟似地好了，更而甚之，好過了頭，落到一種奇怪、痛苦的地步，身體的功能敏銳得超乎限度。有的病人能夠了解，會有預感，但有些人不會。蘿茲在恢復健康之初興奮地說：「太神奇了，太妙了！」但當事情演變到不可控制時，她說：「不能再這樣下去，再下去就要出亂子了。」

同樣地，其他大部分的人，或多或少也有這種自知之明。就像李諾，當他從健康飽滿轉向過度時，原來充沛的活力與健康，就變得太旺盛，成了無法節制的情況。原本和諧、自在，不用費力就能自我控制的感覺，被一種太過的感覺所取代……像是精力過剩、（各種）巨大壓力……，幾乎要把他給瓦解、碎裂了。

這種好處與折磨、快樂與痛苦合而為一的情況，都是過度的病症所帶來的。有自知之明的患者，也會因此充滿了疑惑與不知所措的感覺。「我的精力太過了，」有位妥瑞氏症患者這麼說：「每樣事情都太光明、太有力、太多了。那是種不健康的精力，病態的光輝。」

嚐到甜頭時亦備受威脅

「好得危險」、「病態的光輝」，騙人的安樂感之下，暗藏危機。不管原因是出自天生的化學物質失調，或是後天對某些興奮物質上癮所致，過度症所給人的，都是甜頭與威脅並存的陷阱。

在這樣的狀況下，人類所面臨的是一種非比尋常的兩難：這類患者所面對的疾病，就像上癮一樣，它們遠不適於傳統對於疾病是痛苦、折磨的說法。而且沒有人，絕對沒有人，能夠免於如此怪異、令人羞於啟齒的難處。在過度所導致的失調病症中，會有一種類似勾結的現象產生，也就是說，患者會逐漸加深對於疾病的倚賴與認同，以致除了病態本身，他幾乎失去了獨立性，整個人的人格成了疾病的產品。

在第十章中，那位鬼靈精怪的小雷就表達了他這方面的憂慮。他說：「除了不自主的抽動，我什麼都不剩。」而他也會像想念老友般地，懷念這種病症所帶來的心靈勃發。對他來說，因為他的自我很強，強過他所罹患的症狀，所以在現實生活中，他不會有失去自我的危險。但是對於一些自我較弱，或是自我發展不完全的病人而言，就真的存在著這種取代與被取代的危機。在第十四章中，我會有更詳細的說明。

第十章 鬼靈精怪的小雷

第一次見到小雷時，他二十四歲，
幾乎無法正常行動，因為每隔幾秒，
他就會劇烈地抽搐好幾下。
他最著稱的是突發而又狂野的即興表演，
那有可能是出自抽搐或不自主的擊鼓動作，
卻能夠一下子變成一段美妙、狂熱的演出。

一八八五年，夏考的學生妥瑞醫生描述了一種驚人的病症，後來該症以他的名字來命名。「妥瑞氏症」馬上就廣為人知，主要的症狀包括大量誇張的怪動作與怪念頭：抽搐、痙攣、堅持某些習慣、做鬼臉、發出奇怪的聲音、無意義的謾罵、不自主的模仿，以及各種強迫性的行為。同時也具有鬼靈精怪的幽默感，和滑稽又與眾不同的表演天分。

形式最「高」的妥瑞氏症症狀，還包括了生活的每一方面都感情充沛、直覺敏銳，而且想像力豐富。在普遍的情況，可能只有一點點兒不同於常人的動作或強迫性的行為，不過，即使是這樣，還是帶著奇怪的成分。

到十九世紀末時，這個病症已廣為人所知，案例也相當多，因為那幾年間，神經學的觸角相當廣泛，也勇於嘗試結合生理與心理的理論。妥瑞醫生與他同輩的醫界人士都很清楚，這樣的症狀，是某種原始的衝動和需要緊抓不放的結果。但它也有生理上的原因，非常確定（即使還未找到病源）是神經性的失調。

妥瑞氏症第一份醫學報告發表之後，幾年內，關於這個病症的案例就有好幾百個，而且沒有兩個個案是完全一樣的。很清楚地，此病症的症狀有的輕微溫和，有的卻非常怪異而劇烈。同樣可以明顯看到，有些患者能與妥瑞氏症和平共處，將之吸收成為寬廣的人格特質的一部分，甚至能因它帶來的快速思考、聯想與創意而受益，但也有些患者就整個被病症盤據了，幾乎無法在巨大的壓力與錯亂的妥瑞氏症衝動中，找到真正的自我。就像盧力亞醫生對過度記憶症患者的形容：這個病症永遠存在著「它」和「我」的鬥爭。

逐漸被遺忘的疾病

夏考和他的學生，包括佛洛依德、巴賓司基和妥瑞，可說是最後一批將身體和靈魂一起看待的專家；「它」和「我」、神經學與精神醫學，同時研究。在本世紀之初，這兩者開始分道揚鑣，變成了沒有靈魂的神經學，以及沒有身體的心理學。在這種情況下，任何對妥瑞氏症的了解都消失了。

事實上，妥瑞氏症本身似乎也不見了，在本世紀的前五十年，幾乎看不到這方面的病例報告。有些醫生因為該病症患者多彩多姿的想像力，將這種病視為神祕現象，而大多數的醫生則聽都沒聽過。那種情形，就如同一九二〇年代的昏睡病大流行已經為大家所遺忘了一樣。

昏睡病被遺忘，跟妥瑞氏症被遺忘，有許多相似之處。兩者的病情都很不尋常，奇怪得令人難以置信，至少不相信一般的藥物會有用。它們也難以納入傳統的醫療架構之中，所以後來就被遺忘，神祕地失蹤了。

不過，這兩種病還有更密切的相關之處，從一九二〇年代所發生的情況當中可略窺一二。昏睡病通常也會出現運動機能亢進：患者在發病早期的階段，會有持續升高的心理和生理的興奮感、動作劇烈、抽搐，以及出現各樣強迫性的行為。一段時間之後，他們被完全相反的病情所控制，整個人就像被催眠一般的昏睡。而我則在這群人沉睡了四十年之後，才發現他們。

一九六九年，我給這些昏睡病人使用左多巴，它可以引發神經傳導化合物多巴胺。這些病人腦中的多巴胺遠比正常人低。病人因為左多巴而讓病情全然改觀。起先，他們從不省人事中清醒過來，成為健康的人。接著他們被驅向另一個極端——狂亂而動個不停。這是我首度經驗到像妥瑞氏症的症狀：狂野的興奮、暴力的衝動，還常伴隨了古怪、滑稽的特質。從那時開始，我開口閉口都是妥瑞氏症症狀，雖然我還未真正見識過妥瑞氏症患者。

一九七一年初，一直密切注意我那些「醒」過來的昏睡病患者的《華盛頓郵報》，詢問我的病人進展如何。我回答：「他們抽動個不停。」這個答案促使他們寫了一篇關於抽搐的報導。刊載之後，我收到無數的來信，大部分我都轉交給同事了。不過有位患者，我則答應要去看他——他是小雷。

探訪過小雷的隔天，我在紐約市中心的街上，就注意到了三個妥瑞氏症患者。我感到困惑，因為據說這種病症十分罕見。我曾看過報導，差不多一百萬人當中才會出現一個病例，而我竟然在一個小時之內就看到了三個。我栽進了迷惘與驚奇的煎熬當中：有沒有可能，是我長久以來一直忽略他們的存在，不是沒有注意到這類患者，就是把他們當成「緊張」、「瘋狂」或「痙攣」，而沒有多加理會？會不會所有的人都忽略他們了？有無可能，妥瑞氏症並不罕見，反而相當普遍，比原先推測的更高上好幾千倍？

妥瑞氏症「大聯盟」

再隔一天，沒有刻意留心的狀況下，我又在街上看到兩個患者。這時候，我自個兒天馬行空，生出一種好玩的想法：我對自己說，假設妥瑞氏症患者其實到處都是，只是大家沒有認出來，而一旦認出了，就會常常看到他們。如果某位患者認出了另外一個，這第二位又認出第三位，第三位認出第四位，這麼一直認下去，一直到全部的患者都被認出來。這群因疾病而結成的難兄難姊，成了我們當中的新族群，他們團結在一起，彼此認識、互相關懷，難道不會有一天，因為這樣自然而然的結合，紐約就出現了妥瑞氏症的大聯盟？

三年後，一九七四年那年，我發現自己的幻想已然成真。妥瑞氏症患者的聯誼會組織已經愈來愈健全。那時，該組織有五十名會員，七年之後，更達好幾千人。如此驚人的成長速度，應該歸功於聯誼會本身的努力，雖然它只由患者和他們的親友、醫生所組成。

為了讓人明白妥瑞氏症患者的困境，聯誼會花了無數的心血。這番努力引起了相對的興趣和關心，人們不再像過去一樣嫌惡這種病症的患者，或對他們保持距離。他們也鼓勵了各樣的研究，從生理學到社會學都有，例如，研究患者腦部的化學物質研究基因，以及其他致病的成因；還有探討患者異常快速且照單全收式的聯想與反應。也有關於病症原發時，和繼續發展之後，所表現的本能與行為結構的研究，以及患者的肢體語言，和文法、語言結構的研究，對於患者喜歡咒罵和開玩笑的特性，也有一些意想不到的發現（其他神經性失調的疾病，也會出現這種症狀）。還有一項同樣重要的研究，就是探討患者與家人或他人的互動，以及他們的關係中可能出現的某些奇怪的不幸。

妥瑞氏症患者聯誼會傲人的成就，也成了妥瑞氏症病症史中不可或缺的一部分，因為醫療史上從未出現由病人帶領了解病症，於是他們這個既活躍又企業化的組織，就成為他們尋求了解與治療方法的最佳單位。

從存在的角度治癒病人

過去十年，主要在聯誼會的倡導之下，研究的進展已獲明確肯定，此病症的確有其生理上的因素。妥瑞氏症的「它」，就像帕金森症與舞蹈症中的「它」，反應了巴夫洛夫所說的「下皮質層的盲目力量」，指的是腦部掌管「行動」與「衝動」的根源部分，產生了騷動的現象。

在帕金森症中，受影響的是動作，不是行為，而其干擾的位置是在中腦和其連接部分。舞蹈症則手腳常常出現無意義的亂舞，其問題出在大腦視丘中央的基底核。至於妥瑞氏症，則包含了亢奮的感情和情緒、行為上的直覺原始成分失調等症狀，病因似乎在「舊腦」最高的部位，也就是丘腦、丘腦下部、邊緣系統與杏仁體，這些部位決定了人格中基本的情感與直覺。可以說，妥瑞氏症在身體與心靈間，製造了個「失落的環節」，而其情形差不多介於舞蹈症與躁症之間。

少數出現運動機能亢進的昏睡型腦炎患者，和所有使用左多巴而從昏睡症轉為過度亢奮的患者，以及妥瑞氏症患者，或者任何有妥瑞氏症症狀的病人（無論是由中風、腦瘤、中毒或感染引起的），腦中似乎都有過量的刺激神經傳導物，特別是多巴胺。看起來昏昏欲睡的帕金森症患者，需要多一點多巴胺來刺激他們，其道理就像昏睡症病人被多巴胺引發物質左多巴「叫醒」。同樣地，過於激動的妥瑞氏症患者，則需要以多巴胺拮抗劑，例如，好度（Haldol）這種藥來降低他們體內的多巴胺。

此外，妥瑞氏症患者不只是腦中多巴胺過多，而帕金森症患者也不只是腦中多巴胺不足。某項腦部病症對人格特質的改變，還有很多細微而廣泛的差異：異常的狀況可以有千百種，因人而異，而且每個病人每天的情況都會有變化。好度可以用來治療妥瑞氏症，但是無論是這種藥或其他藥物，都無法治癒妥瑞氏症，就像左多巴也不是帕金森症的解藥一般。

在純粹的醫療或藥物之外，還需要從「存在」的角度來治癒病人：尤其是，能敏銳地了解，患者在行動、創作與表演方面，基本上是健康而自由的。所需要對抗的是其超過限度的衝動，是腦下皮質折磨病人的那股「盲目的力量」。不會動的帕金森症患者能唱歌、跳舞，在這個時候，他完全不受疾病的限制；而當痙攣的妥瑞氏症患者唱歌、遊戲或行動時，他已從疾病中全然超脫了。在此，「我」打敗並駕馭了「它」。

從一九七三年起，我有幸與偉大的神經心理學家盧力亞，有著密切的聯繫，這段友誼一直到一九七七年他過世才告終了。他常常將他對於妥瑞氏症患者的觀察與錄音帶寄給我。在一封後期的信中，他告訴我：「這的確非常重要。對這種病的任何一點了解，都必然使我們對人性的了解眼界大開……，我不知還有什麼病症可以如此引人玩味。」

狂野的即興演出

第一次見到小雷時，他二十四歲，幾乎無法正常行動，因為每隔幾秒，他就會劇烈地抽搐好幾下。他四歲就發病。雖然他擁有高度的智商、才氣、堅強的性格與務實的精神，能讓他順利地受教育、上大學，還有為他的朋友和妻子所倚重和敬愛，但每次發病所招致的側目，仍然使他深受創傷。

大學畢業後，小雷被炒了許多次魷魚，都是因為他抽動個不停，而不是因為不能勝任職務。一直面臨這樣、那樣的危機，通常是因為他沒有耐心、好鬥、粗暴又十分「厚臉皮」。他的婚姻也因為他在性興奮時，會不由自主地發出「操！」、「屁！」等咒罵聲，而出現問題。

他頗有音樂天分（許多妥瑞氏症患者也是如此），而且若不是因為他週末時去當爵士樂鼓手，又有兩把刷子，他大概就活不下去了——精神上或經濟上皆是。他最著稱的是突發而又狂野的即興表演，那有可能是出自抽搐或不自主的擊鼓動作，卻能夠一下子變成一段美妙、狂熱的演出。所以說，「突然的發作」也能變成引人注目的優點。

在許多遊戲中，小雷也能因病而得利，尤其是乒乓球，更是他的拿手好戲。部分原因是他的反射與反應快得驚人，不過更特別的，也由於他那「即興式」、「非常快速、緊張、率性的抽球」（用他自己的話來說），實在出人意料又嚇人，讓對手無法反擊。

他唯一不會抽搐的時間，是在性行為剛結束、平靜下來的時候，或者睡覺時。還有當他規律而有節奏地游泳、唱歌或工作，或者聽到節奏感強烈的旋律時，他就可以解除緊張、停止抽搐，讓整個人獲得解脫。

在活力四射與裝瘋賣傻的表面下，他其實是個深沉嚴肅的人，而且是個絕望的人。他從沒聽過妥瑞氏症聯誼會（當時也的確還未成形），也沒聽過好度這種藥。讀了《華盛頓郵報》那篇談論「抽搐」的報導，才判斷自己可能是妥瑞氏症患者。

與抽搐融為一體

當我確認他得了妥瑞氏症，提到使用好度，他是既興奮又猶豫。我注射了一點好度做測試，他的反應相當明顯，才用了八分之一毫克，就有兩個小時都不再抽搐。經過這次試驗，我開始以好度來治療他，每天三次，一次四分之一毫克。

下個禮拜他來複診，眼圈發黑，鼻樑斷了。他說：「你『他媽的』藥用得太多了。」即使是那一點點的藥量，也讓他重心不穩，他的速度、時間感，以及過人的快速反應，都受到干擾。就像許多妥瑞氏症患者，他很喜歡轉動的東西，特別是旋轉門，他可以像閃電一樣地轉進又轉出。但服用了好度之後，這項絕技不見了，他對自己的動作估錯時間，結果鼻子被結結實實地撞了一著。

還不只是這樣。他很多抽搐的動作，並沒有消失，只是變慢，而且時間延長：有時候「抽搐的動作到一半便靜止了」，他描述，他發現自己的姿態好像僵直了一樣（弗俞齊一度稱僵直是抽搐的另一極端）。這一點點的藥量，讓他變得像個帕金森症的患者，肌肉緊張度不足、僵直、腦中一片模糊。這樣的反應結果似乎再糟糕不過了，這好像意味著，像他這樣過度敏感或病態性敏感的患者，只能從一個極端被拋到另一個極端，也就是從一般亢奮的妥瑞氏症症狀，變成呆滯緩慢的帕金森症狀，永不可能找到快樂的中間點。

我可以了解，這次的經驗，讓他深感挫折。另一個想法也加深這樣的感覺；他表達心裡的想法：「假設你能完全消除我的抽搐，」他說：「可是，還剩下什麼呢？抽搐就是我，我就是抽搐！此外沒別的了。」除了認為自己是個抽動個不停的人之外，他似乎沒有多少自我形象：他稱自己是「總統百老匯的小抽」，而且會用第三人稱的方式叫自己作「鬼靈精怪、抽動個不停的小雷」，外帶說明他太善於「抽動的機靈」和「機靈的抽動」，已經不知道這究竟是好還是壞了。他說無法想像生命中沒有妥瑞氏症症狀，但也不肯定自己是不是喜歡這種病。

在此刻，不由得讓我想起幾位從昏睡病裡甦醒的患者，他們對於左多巴也異常敏感。然而，我從他們的案例看到，如果患者有機會過豐富充實的生活，生理上極端的敏感與不穩定，也有可能得到昇華。也就是說，生命存在的平衡，可能可以克服嚴重的生理不平衡。我感覺小雷也辦得到，因為他並沒有緊盯著自己的病情不放，雖然說了些喪氣話，他並不是個拿自己的病大作文章，或自憐自艾的人。

不再被當成小丑

我建議他，持續三個月，每個星期來看診。這段時間內，我們可以想想看沒有妥瑞氏症的生活是什麼樣子；我們可以探討，少了對病症不正常的眷戀和注意，生命還有什麼，尤其對他有什麼好處，我們也可以檢驗一下妥瑞氏症對他的角色與經濟的重要性如何，如果沒有這個病的話，要怎麼過日子。我們可以在三個月內探討所有的問題，然後，再做另一次好度試驗。

接下來的三個月，我們深入而耐心地探討問題，在這過程中，雖然常常得對付相當的抗拒、不以為然，以及他對自己和生命的信心不足等問題，各樣健康與人性的潛能還是逐漸顯露出來。這些潛能經過了二十年的妥瑞氏症的考驗，隱藏在人格中最深與最強的核心。這樣的探討很令人振奮，也讓我們至少有了一些希望。而實際的效果，則超乎預料，不僅沒有後繼無力，他對疾病的反應，更起了持續而永久的大改變。當我再一次讓小雷試用好度，用量還是跟原來一樣，他卻發現自己不但不再抽搐，也沒有明顯不良的副作用。從此以後，他一直都很適應這種藥物。

好度在他身上的效應猶如奇蹟一般，奇蹟之所以發生，是因為他願意讓它發生。起初的藥效之所以會慘不忍睹，有一部分原因，無疑地，是生理上的；但也是因為在那個階段，想要「治癒」或消除妥瑞氏症，時機尚未成熟，經濟上也不可能。從四歲開始就患病，小雷並沒有過正常生活的經驗：他非常地倚賴他那會讓人上癮的病症，也自然而然地，多方面利用了這個病。他當時還未準備好放棄，而且，（我忍不住要這麼想）如果沒有那三個月密集的預備、非常費力而又專注地深入分析與思考，他可能永遠不會準備好。

過去九年，大體上而言，是小雷的快樂時光，那是一種出乎意料的解脫。經過二十年受妥瑞氏症的束縛，以及受無情病症的逼迫而無法自主後，他享受到了過去不敢奢望的開闊與自由。他的婚姻比以前祥和穩定，還當了爸爸；他結交了許多愛他、看重他的好朋友，他們視他為一個人，而不是個有點名堂的妥瑞氏症小丑；他也成為社區重要的一分子，同時也有了穩定的工作。不過還是有問題尚待解決：這些問題與妥瑞氏症，還有好度脫不了關係。

在周末徹底解放

週間工作的時候，小雷因為服用了好度，而保持「嚴肅、實在、穩重」的樣子，他用這幾個字眼來形容其「好度自我」。他的動作、思考都是緩慢而審慎，不會像沒有服藥前那樣的毛躁衝動，不過在此同時，他也不再如原先的瘋狂隨興、時有神來之筆。甚至連做夢的內容都跟過去不同：「直來直往的，」他說：「不像有妥瑞氏症時那麼曲折離奇。」

他不像以前那麼尖銳，思慮也不如從前敏捷，不再隨時出現「機靈的抽動」或「抽動的機靈」。他不再喜歡乒乓球或其他遊戲，也玩不好，也不會有那種「殺它一把的狠勁」、「想要贏球、打敗別人的衝勁」。他變得沒有那麼好勇鬥狠，但也比較不會找樂子了。從前他讓每個人嚇一跳的衝動或突如其來的熱情不見了；卻也失去了過去的固執，不再是莽漢一個，也沒脾氣了；但也愈來愈感覺到，好像失落了什麼。

更重要的是，從收入或表現自己的角度來看，他的能力大不如前，這對他來說簡直是要命的。因為他發現服用了好度之後，在音樂上就變「鈍」了，不只是差強人意，而還失去了能量、熱情、放肆的表現和歡樂。打鼓的時候，他不再抽搐或不由自主地敲擊，但也不再有狂野而獨創一格的鼓聲。

當他明白了這個模式，在和我討論之後，小雷做了一項重大決定：在週間的時候，他會按時吃藥，但在週末時就不吃，讓自己飛一下。過去三年他都採行這種方法。所以現在有兩個小雷——吃好度及不吃好度的小雷。有一個是正經八百的小市民，從週一到週五，處事冷靜、思想周密；另一個是在週末鬼靈精怪的小雷，精力旺盛、瘋狂、滿腦子怪點子。那是種奇怪的情況，而小雷是第一個承認有這種情況的人：

有妥瑞氏症時，整個人很野，就像整天喝得醉醺醺的感覺。服用了好度的感覺是很鈍，它讓人一板一眼、正經八百。這兩種情況都不是真正的自由。你們「正常人」腦子裡的傳導物質因時因地恰到好處，可以在任何時候擁有所有的感覺和表達的方法——或輕或重，隨心所欲。我們妥瑞氏症患者沒有辦法：我們被病症拉向雲天，服了好度之後，整個人又被拖到谷底。你們是自由的，你們有自然的平衡，而我們則要竭力保持人為的平衡。

小雷的平衡的確保持得很好，儘管有妥瑞氏症，儘管必須要吃好度，儘管不自由又不自然，無法享有我們大部分人與生俱來享有的自由，他還是過著充實的生活。他的疾病教導他許多的事，而且，從某方面來說，他更從其中得到了昇華。他會用尼采的話說：「我已經經歷了多樣的健康，還再不斷地經驗⋯⋯。說到疾病，我們不是忍不住要問：沒有它，還過得下去嗎？只有巨大痛苦，才是靈魂最終的解放者。」

很矛盾地，小雷被剝奪了自然、與生俱來的健康，卻從服藥與不服藥的交替之間，找到了新的健康、新的自由。他成就了尼采所說的「偉大的健康」——雖然妥瑞氏症纏身，仍然幽默過人、勇氣十足、精神奕奕。

第十一章

幸得愛神病

我知道它是病，但是它讓我心情愉快。
我樂在其中，現在也還是，我不會否認。
這個病讓我覺得比二十歲時還有生氣、還有活力。
這樣很有樂趣。
我不希望事情變糟，那就令人難過了；
不過我也不希望它被治好，那也不怎麼好。
你想，有沒有辦法讓它維持現在這樣呢？

娜塔莎是個老太太，雖已高齡九十，仍然耳聰目明。最近她來我們診所，她說，八十八歲生日過後不久，她注意到自己「有點不一樣」。

「怎樣的改變呢？」我們問她。

「快樂得不得了！」她大聲地說：「我愛死了這樣的改變，覺得更有活力，生氣勃勃，感覺自己又年輕起來了。我對年輕的男人會有興趣。我開始感覺，你可以這麼說，『活蹦亂跳』。對，就是『活蹦亂跳』。」

「這有問題嗎？」

「剛開始覺得沒什麼不對。我感覺很好，好得不能再好了——我為什麼要大驚小怪？」

「後來呢？」

「我的朋友開始擔心。起先他們說：『你看起來氣色真好，煥發出嶄新的生命光采！』但後來他們認為有點不對勁。『妳以前總是那麼害羞，』他們說：『現在妳還會賣弄風騷，咯咯笑，還會講笑話。妳這把年紀了，這樣好嗎？』」

「那妳自己覺得呢？」

「我嚇了一跳。我樂在其中，根本沒想到有什麼不對勁。不過仔細一想，我就告訴自己：『妳八十九歲了，娜塔莎，妳卻一整年都這麼亢奮。妳一向情緒平穩，現在卻樂得毫無道理。九十歲的老太婆，行將就木，怎麼會突然這麼陶陶然呢？』當我一想到『陶陶然』這個字眼，事情就不一樣了……『妳病了，親愛的，』我告訴自己：『妳的感覺太好了，妳一定是生病了！』」

感謝愛神惡作劇

「生病？是情緒上還是心理上的病？」

「不，不是情緒上的，是生理上的毛病。我的身體、我的腦子不知道哪裡出問題了，才會讓我情緒變得這麼高昂。接著我又想到——哎呀，該死，是愛神病！」

「愛神病？」我不解其意地重複了一次。我從來沒有聽過這種病。

「沒錯，愛神病，就是梅毒，你知道吧。差不多七十年前，我在薩隆尼嘉的一家妓院。我感染了梅毒，那時很多女孩都得了，我們管它叫愛神病。後來，我丈夫救了我，把我從妓院帶出來，我的梅毒也治好了。當然，那年頭還沒有盤尼西林。會不會是經過這麼多年，我又發病了？」

從首次感染梅毒到進一步演變成神經性梅毒之間，的確可能有相當的潛伏期，尤其是，如果原先的感染只是被壓抑了，卻沒有徹底治癒的話，更提高了這樣的可能性。我有個病人，自行用阿斯凡納明治療，結果在五十多年後才演變成脊髓癆（也是一種神經性梅毒）。

不過，我從未聽過發病間隔期長達七十年的，更沒聽過自認為感染了腦神經性梅毒的人，講話可以這麼有條不紊的。

「這是很驚人的聯想，」我想了一下才回答：「我絕對想不到這一點，不過也許妳是對的。」

她說的沒錯。脊髓液測試呈陽性反應，她的確有神經性梅毒，而病毒也的確侵襲過她高齡的大腦。現在要傷腦筋的，是治療的問題了。不過另一個非常尖銳的兩難問題，是由老太太提出來的。「我不知道我是不是想把它治好，」她說：「我知道這是一種病，但是它讓我心情愉快。我樂在其中，現在也還是這樣，我不會否認。這個病讓我覺得比二十歲時更精力充沛、活力十足。這樣很有樂趣。不過我也知道事情太過美好時，應該就此打住。我曾經有過一些想法，還有一些衝動，我不願意告訴你是什麼，它們是會讓人臉紅的蠢念頭。起先，有點兒暈淘淘的、微醺的感覺，不過如果再下去的話……」她扮了個嘴歪眼斜的鬼臉：「我猜我得了愛神病，這是我來找你的原因。我不希望事情變糟，那就令人難過了；不過我也不希望它被治好，那也不怎麼好。在這毛病還沒找上門之前，我從沒有活得這麼有勁過。你想，有沒有辦法讓它維持現在這樣呢？」

我們考慮了一下。幸好，答案很清楚。我們給她盤尼西林，這雖然消滅了她的病毒，但是並沒有反轉她腦部因為病毒所引起的變化。

現在娜塔莎稱心如意，既享受輕微的解放，思想與衝動都得到釋放，也不用擔心不能自

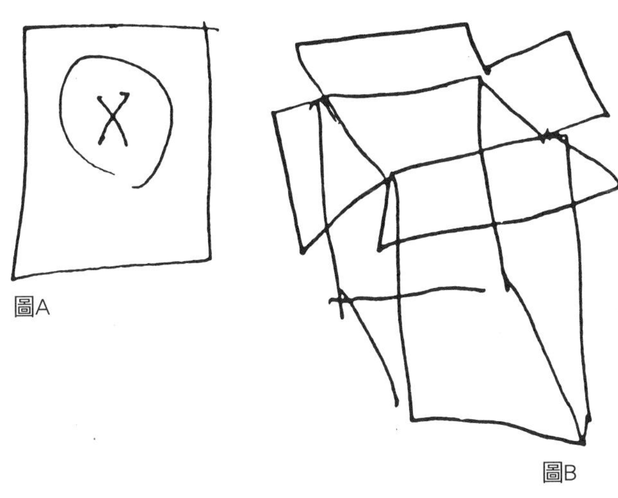

盡情揮灑後的結果（一個打開的紙盒）

我控制，或是危害到她的腦子。她希望能這樣充滿年輕活力、快快樂樂地活到一百歲。「真好笑，」她說：「這都得感謝愛神。」

後記

一九八五年一月，我在另一位患者身上，也碰到了類似的兩難與諷刺的事。歐先生被診斷為躁症，因而住進了醫院，但醫生很快就發現是神經性梅毒導致他的興奮狀態。他是個單純的人，過去在波多黎各務農，加上有點重聽和語言障礙，他的口語表達能力不是很好；不過，透過畫筆，他簡單明瞭地把自己的狀況描述出來。

第一次見面時，他相當興奮，當我要他依樣畫一個簡單的圖案（如圖A），他卻興高采烈地揮灑為三度空間（如圖B），或者說我以為是三度空間，直到他解釋那是個打開的紙盒，他想在裡面畫一些水果。由於受到奔騰想像力的驅使，他不去注意圖中的圓圈和十字，而是把焦點放在「封閉」的概念，再將這樣的概念具體呈現出來。一個打開的紙箱，裡頭放滿了水果，這不是比我那無聊的圖案更吸引人、更生動嗎？

幾天後再見到他，依然精力旺盛，活動力很強，思想和感覺到處飛，飄得像風箏一樣高。我要他再畫一次同樣的圖形。這一次，他想都沒想，就把原來的圖畫得有點像不等邊四角形、或菱形的東西，然後加了一條線，還有一個小男孩（見圖C）。「男孩放風箏，風箏在飛！」他興奮地嚷嚷。

再過幾天，就是我第三次看到他的時候，我發現他相當沉靜，很像帕金森症（醫院開了好度讓他安靜下來，等待最後的脊髓液檢驗）。我再次要他畫出那個圖，這一次他就依樣畫葫蘆，絲毫不差，只是比原圖小（服用了這種藥之後，會有把圖像縮小的情形），他沒有加油添醋，也沒有即興的想像（見圖D）。「我沒有再『看到』什麼東西了，」他說：「以前所見的是那麼真實、那麼生動。是不是我接受治療後，所有的事物都會變得死氣沉沉？」

帕金森症病人被左多巴喚醒之後，所畫的圖也有異曲同工之妙。要帕金森症患者畫一棵樹，他們會畫一個小小的、看起來營養不良、弱不禁風的東西，一棵冬日裡光禿禿的樹，連一片葉子也找不到。一旦他得到左多巴的刺激，整個人活絡起來，所畫的樹就會是粗壯高大，儀態萬千，而且長滿葉子。如果藥讓他變得太興奮了，畫出來的樹可能就充滿華麗的裝飾和線

興奮中畫出的活潑圖像（放風箏）

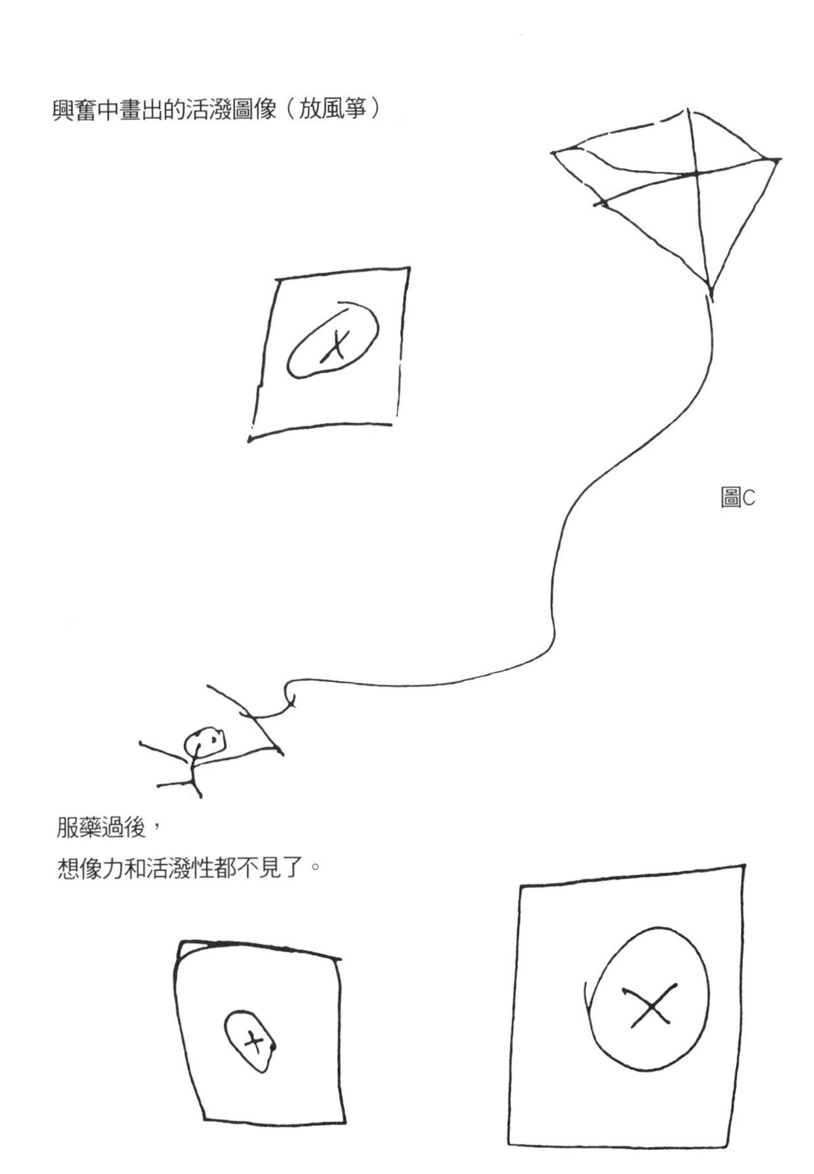

圖C

服藥過後，

想像力和活潑性都不見了。

圖D

條：枝椏橫生，樹葉滿布，又長滿了細微的蔓藤、捲曲的花樣，還有些不知所以然的東西；整棵樹幾乎要被這龐大的、巴洛克式的、巨細靡遺的畫面給占去，看不到原來樹的樣子了。

生病似乎不全然是壞事

妥瑞氏症患者所畫的畫，也相當具有這種風格——原始的形狀、原本想法，失落在過度裝飾的叢林中，以及一般稱之為「速度藝術」的即興表現之中。他們的想像力起初是被喚醒，接著愈來愈興奮、愈來愈狂熱，終至變得無邊無際、不可遏止。

這是多麼矛盾、殘酷而又諷刺的事——內在的生命與想像力，可能一輩子都潛藏不露，除非，因為某種感染或疾病，才有辦法釋放它，或是喚醒它！

這樣的矛盾，也正是《睡人》要討論的核心；同樣地，妥瑞氏症之所以誘惑人，也是因為這個原因（見第十章、第十四章）。而某些藥物，像是古柯鹼（一般了解，它和左多巴或妥瑞氏症一樣，有增加腦部多巴胺的效果），讓人又愛又怕的地方也就在此。所以，佛洛依德才會對於古柯鹼讓人沉醉其中，難以自拔的影響，有了下面這番驚世駭俗的說法：「……跟健康人正常的陶醉的感覺並沒有什麼不同……換句話說，你是正常的，而且很快就難以相信自己是在任何藥物的控制之下。」

腦部的電療，也有同樣矛盾的評價：有些癲癇狀態會讓人感覺興奮、上癮，而且那些喜歡這種感覺的人，可能會一次又一次地讓自己有機會接受這樣的刺激（就像腦部植入電極的老鼠，會不由自主地刺激它們腦中的「快樂中心」）；不過，還有別的癲癇狀態會帶來安祥與幸福的感覺。即使是由疾病引起，好的感覺還是可能如假包換。而這樣矛盾的感覺，甚至還可以帶出長久的益處，這就是第十五章所談的歐康太太，和她令人費解的「記憶重現」。

我們在此所處的是一種奇怪的情境，過去所有的想法或許都要徹底翻轉，生病可能是好事，正常卻讓人不舒服；興奮的感覺有可能是束縛，也可能是解放；而事實可能存在於不清醒的狀況下，而不是在清醒的時候。這就是愛神和酒神的世界。

第十二章 失去現實感的人

說故事的需求，
或許能指出湯普森猛編故事、喋喋不休的原因。
他的連續感已經被剝奪了；
不為人知、連貫不斷的內心故事不在了，
這促使他成了故事狂——
他有說不完的故事、談天說地的癖好、愛打誑語，
就是由此而來的。

「今天來點什麼？」他說著搓了搓他的手心：「半磅的維吉尼亞，還是一塊美味的諾瓦？」

顯然地，他把我當成了顧客。他經常拿起病房中的電話，說：「湯普森熟食店」。

「哦！湯普森先生！」我大聲說：「你把我當成什麼人了！」

「真糟糕！光線太暗，我當你是客人。這分明就是我的老友唐皮金嘛。（他轉頭小聲對護士說）我和老唐常常一起去跑馬。」

「湯普森先生，你又弄錯了。」

「我也這麼想。」他再一次答話，毫無受窘的表情：「如果你是老唐的話，幹嘛穿著一身白袍？你是海明，隔壁的猶太教肉品的屠夫。只不過你那外袍上沒有斑斑血跡。今天生意清淡嗎？到了週末就有得你忙了。」

有點兒覺得自己好像在一團身分認證的漩渦中打轉，我指了指掛在脖子上的聽診器。

「聽診器！」他推翻自己的說詞：「你是假扮的！你們這些技工都開始幻想自己是醫生了，穿了這身白袍和戴上聽診器這種行頭，好像你需要用聽診器聽車子的聲音！所以你一定是前面那條街修車廠的老曼，要來拿你的裸麥麵包……，」湯普森再一次擺出他那雜貨店掌櫃的手勢，搓了搓手，尋找著櫃台。沒見著它，他以奇怪的神情再看看我。

「我在哪兒？」他問，一副駭然受驚的表情。

「我當我在店裡，醫生，我必定又胡思亂想……你要我脱下襯衫，像往常那樣聽診嗎？」

「不，這次不同，我不是你平常的那位醫生！」

「你還真的不是。一看就知道！你不是平常看我心跳的醫生。鐵定不是，你有鬍鬚！你像佛洛依德……我是不是發瘋了？」

「不，湯普森先生，你沒有瘋，只是記憶上有一點小問題，不容易想起來或認得人。」

「我的記憶老要開我玩笑，」他承認：「有時我會搞錯，把某甲當成某乙。那你現在決定怎樣……要諾瓦還是維吉尼亞？」

優遊於各種角色

又來了，每一次都是這麼前言不對後語的，興之所至、沒有預兆，通常滑稽可笑，有時還滿像一回事的，但最後都是令人覺得心酸。湯普森先生會指認我的身分，卻是誤認或假裝他認識，在五分鐘內，能說出一打的不同身分。他能很流暢地從某個臆測、假設和看法，轉個彎變成另一套說詞，而且從他臉上看不出任何不確定的感覺。他從未認出我是誰，對於他自己（一個前雜貨商，患有重度柯薩科夫症候群，住在精神醫學中心）究竟是什麼身分、身處何地，也是茫然不知。

他的記憶稍縱即逝。失去方向感是家常便飯。失憶症的無底洞總不停地出現在他腳下，但藉著行雲流水的閒聊和花樣百出的杜撰，他總能敏捷地將洞補滿。對他而言，他並沒有虛構任何事，他所說的，都是他在瞬間所見、所能領會的世界。剛開始，他那種變幻無常，毫無條理可尋的狀況，常讓人一下子無法忍受、無法理解。

然而，湯普森以其無止境、無知覺、連珠砲般的發明能力，在瞬間不絕地即興創作出周遭事物的物換星移，反而造成一種詭異、如夢囈般，卻又近乎有條不紊的世界——彷彿天方夜譚裡的情節、走馬燈、夢境，裡頭充滿瞬息萬變的人、圖案和情境。但是，對湯普森本人來說，他的世界並沒有幻滅無常，也沒有曇花一現的奇想和幻覺，而是一個完全正常、穩定、腳踏實地的世界。至於他本身，也是一切泰然。

曾有一次他外出旅行。他自稱是「威廉・湯普森牧師」，向旅館櫃台叫了一輛計程車，搭著它展開一天的行程。我們後來曾和那位司機談過，他說，他從沒載過如此吸引人的乘客，因為湯普森告訴他一個又一個的故事，都是他個人驚人的歷險奇遇記。「他似乎去過世界各地，見過所有的世面，我簡直無法相信一個人的一生能過得這麼豐富。」計程車司機說道。

「這未必是他的一生，」我們回答：「而是非常奇妙的角色扮演。」❶

活出自己獨特的故事

另一位我曾詳文敍述過的柯薩科夫症候群病患吉米（見第二章），其重度的柯薩科夫症候群，已有好長一段日子沒有惡化，似乎沉澱在一個定型的迷失狀態（也許該說是，一個現在做不完的夢或是往日時空的定格）。反觀湯普森先生，他才剛出院，他的柯薩科夫症候群在三星期前發作，當時他表現出高度興奮、瘋狂叫囂、不再認得家人。他病症的熱度未退，仍處在近乎狂熱地想找人閒聊的妄想（這種情形有時稱做「柯薩科夫精神病」，當然它並不是真正的精神病）。他會不停地創造一個新的世界、新的自己，來替補他不斷遺忘和失去的事物。如此的狂熱，會引發出相當炫目的創作力和幻想能力，成為一個如假包換的大蓋仙，這種病人在任何時機，都能完全地使自己（和他的世界）情緒高昂。

每個人的一生都有個故事、一個內心的故事——故事的發展，我們的感受，交織成我們的生活。可以這樣說，每個人都在建構、都在活出一個故事。而這個故事就是我們自己，就是我們對自我的認知。

想了解一個人，我們會問說：「他的故事是什麼，他真實、內心的故事如何？」我們自己就是一部傳記、一篇故事。每個人的故事都是獨一無二的；故事的內容，透過人的知覺、感情、思想和行為，再加上我們的談話交流，在無意識中不斷地建構起來。生物、生理學上，我

❶盧力亞所著的《記憶的神經心理學》中，也有個很類似的故事。那位被弄得暈頭轉向的計程車司機，一直到他的外國乘客把手中的天氣圖當成車資，打算付給他時，才恍然大悟這個乘客有病。當時他才明白這位現實生活中的謝拉莎德（訴說一千零一夜故事的人），是神經病院中「那些奇怪的病人」中的一分子。

們有不少相同處；但時光流轉所寫出的人生故事，篇篇都不同。

要成為自己，必須要「有」自己，需要擁有自己畢生的故事。我們要將人生的片段重新整理，將自我內心的戲劇和故事，重新集結。一個人得有如此的故事，一篇不斷線的內心故事，才能保有其自我認同，保有自己。

說故事的需求，或許能指出湯普森猛編故事、喋喋不休的原因。他的連續感已經被剝奪了；不為人知、連貫不斷的內心故事不在了，這促使他成了故事狂——他有說不完的故事、談天說地的癖好、愛打誑語，就是由此而來的。因為他無法保有真實的故事或其連貫性，無法擁有真正的內心世界，驅使他必須在虛擬的連續性、塞滿虛幻人物與妄想的虛擬世界裡，繁衍出根本不存在的故事。

想走出迷惘的幻境

對湯普森而言，這樣的世界像什麼？表面上，他變得像是一齣熱鬧的喜劇。大家會說：「這人很愛搞笑。」其間充斥的詼諧戲謔，也許適足以構成喜劇小說的基礎。❷它是好笑的，但不只有笑果，還加上恐怖。就某種意義，這個人帶著一種絕望的瘋狂。他的世界不斷地滅絕、失去意義、煙消雲散，所以他必須尋覓人生意義、創造意義，如困獸之鬥，不斷在無意義的無底深淵、在不時嘶吼的混亂之上，創造、架設意義的橋樑。

但湯普森自己知道這一切、感覺到這一切嗎？人們發現他是一個「非常有趣的人」、「很有笑果的人」、「帶來歡樂的人」之後，卻會因為他的某種特質，而感到厭煩，甚至恐懼。「他不曾停止，」他們會說：「他像個在競逐的人，一直想去抓住某樣在閃躲他的東西。」沒錯，他只能不停地跑下去，因為記憶、存在與意義的裂口永遠無法癒合，只得分分秒秒去彌補、去拼湊。而花了再多心力彌補與拼揍，也不會發生作用，因為它們只是閒聊與虛構的東西，對現實世界幫不上忙，也與其格格不入。

湯普森能感覺出這情形嗎？或，再一次要問，他「對現實的感覺如何」？他是不是一直活在痛苦之中──找不著真實，掙扎著想自救，卻陷溺在無止境的虛構故事和幻境之中？看得出來他並不自在，他的神情緊張，不時繃著臉，彷彿承受一波又一波的內心壓力；偶爾，他也會流露出坦率、沒有遮掩、令人同情的困惑，只是這情形並不常有，他會刻意隱藏。

一邊拯救他、卻又詛咒他的，就是他這不自然的、或說防衛性強的膚淺人生特性；他的人生所呈現出來的，只有表面的五光十色、變化萬千，除此之外，就只是一團幻象、精神錯亂的

---

❷ 其實真有人寫過這種小說。就在〈迷航水手〉發表不久，一位年輕的作家吉爾曼將他的新書《理平頭的男孩》的手稿寄給我。故事是關於一位像湯普森的失憶症病人，享受其創造新身分、新自我放肆而無韁轡的特權。病人不停地天馬行空，想停也停不下來，呈現了失憶症患者驚人的想像力，故事的陳述方式還帶著喬伊斯式的文采與風格。我不清楚這書有否出版，但我很肯定它應該與讀者碰面。我不禁想知道吉爾曼先生是否曾碰過（和研究過）「湯普森」這種病例？

現象，談不上深度。

對一切都沒有感覺了

他無法感覺到他失去了感覺（因為這種感覺已經失去了），也沒有感覺自己失去了深度——失去內心深不可測、無人能知、一層又一層界定身分或真實的深度。在任何時刻與他接觸的人都有這種印象，在他流利的言談，甚至說他的狂熱之下，是一種奇異的感覺喪失，他已沒有分辨「真實」與「虛幻」，「正確」與「不正確」（只能說是非真相，不可說是謊言），「重要」與「微不足道」，「適切」與「不恰當」的感覺。他講不完的閒扯如洪水猛獸般傾巢而出，到最後成了一種不在乎的特質……，好像他說的話，或其他的言行都無關緊要；好像天下太平、無事可擾。

有一個鮮明的例子，在某一天下午發生。當時湯普森滔滔不絕，面對著隨興聚攏的一干人等，說道：「我的弟弟包博，剛走過那扇窗」，他說話的語調就如同他接下去的長篇大論一般，始終高亢，態度卻平穩而冷漠。

一分鐘後，我嚇得說不出話，因為一個男人探頭到門邊說：「我是包博，我是他弟弟，我想他看到我從窗外走過。」從湯普森的聲調或態度，從他活潑生動、但又毫不在乎的長篇獨白中，我完全沒有想到他講的話中有些是真實的。

湯普森談到自己的弟弟時，雖然那是個真實的人，他所用的語調（或說是沒有語調），與他在談論「虛幻」事物時，完全是一個調調。突然間，在幻影中跳出一個有血有肉的人！更有甚之的是，他並沒有把他弟弟看成是真實的，因為他沒有表露任何真實的感情，一點也沒有從其精神錯亂中稍稍得到方向或解脫的跡象，適反其道地，立刻將他弟弟看成是虛幻的，在更加紛亂的精神錯亂之中讓他隱沒、失去影蹤。

這全然不像吉米（見第二章）與他哥哥的會面，那種難得卻感人肺腑的時刻，那時的他並沒有迷失。可憐的包博可真灰頭土臉，他說：「我是包博，不是羅博，也不是多博，」然而，這麼解釋仍是枉然。在那些閒聊當中，或許仍保有（或是瞬間跑出來的）某種憶起親戚關係或身分的記憶束，湯普森談到他老哥喬治時，使用的是不變的現在式敍述法。

「喬治已過世九年了！」包博說，表情驚異不已。

「呀！喬治這人太愛說笑了！」湯普森語帶戲謔，對包博的說法顯然置若罔聞，也不感興趣。繼續用他興奮、平穩的語氣閒扯關於喬治的事，對於真相、現實、禮節和一切的一切，他都麻木不仁，也對在他眼前、看起來心痛不已的弟弟毫無感覺。

失落的靈魂能否得到救贖

即使沒有其他佐證，憑這點我也可認定，湯普森喪失了一些終極而完全的內心真實，那是關於感覺和意義，關於靈魂的。這又誘發我向修女們提出疑問，就像我曾詢問關於吉米的問題一樣：「你認為湯普森有靈魂嗎？或者他的靈魂已被疾病除去了精髓。掏盡、失掉靈魂了？」

這一次，我的問題讓她們的臉上掛上焦慮，我觸及了她們的內心：她們再也沒辦法說：「自己判斷吧，去看看教堂中的湯普森」，因為他連在教堂裡都是俏皮話不斷、妙語如珠。吉米有一種全然的哀淒，一種迷失的憂愁感，而這感覺在如沸騰冒泡般的湯普森身上是見不到，或無法直接感受到的。

吉米有喜怒哀樂的情境，並有一種陷人沉思（或至少是渴望）的憂傷，這種深度與靈魂並沒有在湯普森身上出現。無庸置疑地，就像修女們所言，就神學的觀點，他是有靈魂的，一個永生的靈魂；他就跟神其他的子民一樣，為神所看顧、所愛；但她們也承認，某種使人忐忑不安的東西已經影響了他，影響了他的靈性、個性，以及一般的人性。

因為吉米是「迷失」的，所以在發自心底感情關係的模式下，他可以短暫得到救贖或被尋獲。吉米身處絕境，是一種安靜的絕望（借用齊克果的用語），因此他會有得救的可能性，有可能再度觸摸到他已失去，但仍然認識、仍存渴望的感覺和意義。

但湯普森，在其耀眼卻虛浮的外表，與替代真實世界毫無休止的笑話（在這當中如有隱藏著絕望，也是他無法感知的）之下；在他明顯對於人的關係和真實的輕忽，只一味瞎掰的背後，可能已完全找不到救贖。他的喋喋不休、他的怪異行為，以及尋找意義的狂熱，成了最根本的障礙，將任何意義拒於其外。

這是一種一體兩面的矛盾。為了能時時跨越那個愈破愈大的失憶症無底洞，湯普森「愛閒扯」的重要天賦得以發揮。然而，這項天賦卻也成為他的咒詛。如果他能安靜下來；如果他能停止喋喋不休、語無倫次：如果他不再用表面的幻象來自欺欺人，那麼，真實才有可能滲入；某種真正、發自內心、純然、真實有感的事物，才能進入他的靈魂。

在他身上，最終的、「存在性」的損傷並不是記憶（雖然他的記憶已被摧毀殆盡）；他的改變這麼大，並不只是由於失去記憶，而是對情感的感覺能力也喪失了；他之所以「喪失靈魂」，就是因此而來的。

在靜謐中安頓身心

盧力亞形容這種不在乎的狀況，是一種「同等化」，有時他似乎認為這就是根本的病態所在，是任何自我或世界的終極毀滅者。我認為它在湯普森的身上造成一種令人害怕的迷惑作用，也造成了最高難度的治療挑戰。他一再地回到這個主題，有時牽涉到《記憶的神經心理學》中所說的柯薩科夫症候群和記憶，不過更常與額葉症候群扯上關係，特別是《人腦與心理運作程序》書中所談到的。

《人腦與心理運作程序》包含幾位類似病症患者的全程病歷，他們之間可怕的吻合，可以與「活在分崩離析世界裡的男人」相媲美，可能還更恐怖，因為罹患這些病症的患者，對於發生在他們身上的事，絲毫沒有意識，病人已經失去了現實感，而缺乏這種感覺，患者可能不會覺得痛苦，卻是最藥石罔效的。

查契斯基在《活在分崩離析世界裡的男人》中被描寫成一位鬥士，不斷（甚至是強烈地）意識到自己的處境，總是對抗著「詛咒的糾纏」，想促使毀壞了的腦子恢復運作。但是湯普森的病況（就像盧力亞的額葉症病患，見下一章），可說是糟到連被詛咒都不知情，因為那不只是一個功能或數個功能受損，而是最重要的大本營——自我、心靈本身，已經損壞了。

從這層意義看來，湯普森「迷失」的程度比吉米更甚；他無從感覺，或是難得感覺到還有他自己這個人的存在，而吉米這邊，雖然多數時候是時空錯亂，卻清清楚楚有個真實的精神歸屬。至少，使吉米再連上現實是有可能的。這類治療所面對的挑戰，一言以蔽之，就是「只求連接，別無他求」。

我們想要使湯普森「重新連接」的努力都宣告失敗，甚至還增加他暢所欲言的壓力。然而，當我們放棄努力，讓他自求多福時，他有時會逛到醫院周圍寧靜、無拘無束的花園當中。那兒，一片平靜祥和，他尋得了自己的寧靜。其他人的存在，使他興奮和聒噪，迫使他夸夸其談，陷在製造身分或尋覓身分的錯亂狀態裡；但花木扶疏、幽靜的花園，是一種非人類的次序，他無須社交，不必有人類的表現，這讓錯亂的自我得以放鬆、退隱。藉由這分寧靜與天地自得，他也享有了一分難得的寂靜與自在。藉由與大自然無言的深交（超越所有的人類認同與關係），他存在世上的感覺又回來了，也變得真實了。

第十三章

是誰，又有什麼關係？

她的世界已成感情與意義的不毛之地。
整個世界被貶抑成一種輕浮而無所謂的地方。
這讓我有點兒震驚，她的朋友與家人也有同感，
但她自己，雖未全然被矇在鼓裡，卻毫不放在心上，
一臉冷漠、甚至還表現出一種極端可笑的無動於衷，
或是說輕浮的態度。

白太太過去是個化學研究員，突然性情大變，變得「有趣」，也就是詼諧，老愛講些俏皮話和雙關語；行事衝動和「虛應故事」。「你會感覺到她對你一點都不關心，」她的一位朋友如此說道：「她好像不在乎任何事。」

起初她這種行為被人認為是患了輕躁症，結果證實她有腦瘤。在顱骨切開手術中發現，並不是當初以為的腦膜瘤，而是在涵蓋眼窩額面區域的額葉處，有個大腫瘤。

我見到她時，她看起來情緒高亢、輕浮無常。護士說她是言詞嘲諷、妙語如珠的「搞笑專家」。

「是的，神父，」她對我這麼說。

「是的，修女，」一會兒又改了稱呼。

「是的，醫生，」這是第三種說法。

她似乎交替地使用各種詞彙。

「我的職業是什麼？」過了一會兒，我用揶揄的口吻問她。

「看到你的臉孔和鬍鬚，」她說：「我想到修道院的教士。看到你的白制服，我想是修女。你戴著聽診器，我想到醫生。」

「你不從我整個人判斷嗎？」

「沒有，我沒這麼看。」

「你清楚神父、修女和醫生之間的差異嗎？」

「我知道，但對我而言，沒有意義。是神父、修女，還是醫生，又有什麼關係呢？」

至此以後，她會嘲弄地說：「是的，神父—修女。是的，修女—醫生，」還有其他的組合。

滿不在乎的輕浮態度

要測試她的左右辨識力時，不知道為什麼，非常的困難，因為她說，是左或右有何關係（儘管她的認知與注意力有缺陷，並沒有讓她變得左右不分）。當我要她注意這項測試時，她說：「左／右，右／左，幹嘛斤斤計較？有什麼不同嘛？」

「它們有沒有差別呢？」我問道。

「當然有，」她說，用一種化學家實事求是的口氣：「你可稱這是鏡像體的兩面，但在我看來並不具意義，我認為它們沒有什麼不同。手……醫生……修女……」她看到我楞住了，加上一句：「難道你還不明白嗎？它們毫無意義，對我而言，根本不值得一提。全是些微不足道的事……至少我是這麼想的。」

「那……這種無意義……」我停頓著，不太敢說下去：「這種無意義的事……困擾你嗎？這對你有什麼意義嗎？」

「肯定沒有，」她脫口而出，笑得很開心，講話的語氣就像在開玩笑、或在爭辯中占上風、牌桌上手風正順的感覺。

這是否認？這是展現她的勇敢？抑或對某些難以承受的情緒加以掩飾？她的臉色倒是未見深邃的表情。她的世界已成感情與意義的不毛之地。沒有東西能讓她覺得「真實」（或「虛幻」）。此時任何事物都是「同等分量」或「畫上等號」的——整個世界被貶抑成一種輕浮而無所謂的地方。這讓我有點兒震驚，她的朋友與家人也有同感，但她自己，雖未全然被矇在鼓裡，卻毫不放在心上，一臉冷漠、甚至還表現出一種極端可笑的無動於衷，或是說輕浮的態度。

儘管白太太精明睿智，卻「失去靈魂」，不像個人。我的腦海出現了湯普森（與皮博士）。這就是盧力亞所描述的「同等化」效應。我們在上一章已經提過，下一章也會再提到。

後記

這位病人此種滑稽的冷漠和「同等化」（一視同仁？）的態度並不算稀奇，德國神經學家稱之為「說笑症」，一百年前傑克森醫生就認為這是一種神經「崩解」的基本形式。這種症狀並不算罕見，然而有點可悲的是，在「崩解」的過程中，醫學上對它的了解，卻常付之闕如。

我往往在一年當中遇上好些個病例，現象類似，病因卻五花八門。時常在一開始時我會無法確定病人只是「生性奇特」、四處耍寶，或是得了精神分裂症。我在我的筆記中發現以下這段話，可以說是隨手記上的，是關於一位腦多發性硬化症的病人，我在一九八一年遇上她（但她的病例我無法做進一步的追蹤）：

她講話就像連珠砲，感情用事，看起來（似乎是）冷漠……，因此，重要與瑣碎，真實與虛偽，正經與玩笑的事，如流水般以快速、不經選擇、半真半假的方式，源源不絕地脫口而出。她會一轉身就完全地把自己推翻掉……說她喜愛音樂，又說不愛；說她摔傷了屁股，又說沒有……

我用一段不確定的注記總結我的觀察：

隱性失憶——虛談症的成分有多少，額葉受傷所造成的漠不關心——一視同仁的成分會有多少，又有多少成分是精神分裂症的不可思議的瓦解和崩潰？

綜觀精神分裂症諸多形式中，「快樂的蠢蛋」也就是所謂的「青春型精神分裂症患者」，是最近似於器質性失憶症和額葉症候群的。它們最是致命，且最難理解。還未曾有人從此病歷劫歸來，將他的經驗公諸於世的。

所有這些症狀中——病人常顯得「有趣」又匠心獨具——世界被拆解、顛覆掉了，搞成無秩序且混沌一片。他們的思想裡已經沒有「中心」，雖然正常的智力極可能還完好無損。這種狀況到了極點，就成了一種難解的「癡傻」，一種漫無邊際的淺薄無知，心智思想完全沒有依據，隨興漂流，零散而無重點。

盧力亞曾說過，心靈在這種狀態下，已經削弱到只剩下「布朗運動」。我可以體會他對這種病症所感受的恐懼（這種感覺反而有助於精確描述病情）。我先想到波赫士的「芙恩斯」，以及他的評語：「先生，我的記憶就像一座垃圾山。」我最後還想到敦西阿德，他所見的世界變成了純粹的愚蠢，猶如世界末日般的愚蠢：

脫序者，你隻手讓幕落；
無垠黝暗已埋沒所有。

第十四章 千面女郎

她用一種漫畫般的滑稽樣子來表演每個從她身旁走過的人。
在一秒鐘之內，她就「捕捉到」所有人的特點。
我不知道看過多少擅長模仿或搞笑的人，
但都沒有當下我所目睹的那樣令我震撼：
她幾乎是在瞬間就自動且不由自主地反照出每張臉、每個樣子。
每一個她所反映出來的動作、表情，
都是用一種誇張而諷刺的方式，
表演出別人最顯著的特徵或表情。

在第十章中，我所描述的，是比較輕微的妥瑞氏症，但我也約略提到，還有更嚴重的症狀，「怪得嚇人又狂暴」。我的看法是，有人能夠將病症納人寬廣的人格當中，而有人「卻可能真的被壓力沉重又混亂的妥瑞氏症衝動所附體，幾乎不再擁有真實的自我」。

妥瑞醫生本人，還有許多年紀較大的醫生，診斷出來多半是惡性的妥瑞氏症，其症狀可能會造成人格分裂，導致病人精神狀態非常詭異，會看到幻境，又時而手舞足蹈，彷彿成了另一個人。這種型態的妥瑞氏症，也就是超級妥瑞氏症，相當罕見，病情比普通的妥瑞氏症大概嚴重五十倍，而且本質上可能有差異，強度也要強得多。這類「妥瑞氏症精神病」，只表現出自我認知錯亂，跟普通的精神病相當不同，因為它有其獨特的生理學與現象學的根源。但在另一方面，它跟左多巴有時候所引起的精神狂亂，卻有關係。同時，跟「柯薩科夫精神病」的虛談症也有相關（見第十二章）。而上述的症狀，已足以讓一個人完全神志不清。

在見過我的第一個妥瑞氏症患者——小雷的隔天，我的視野與心胸都開展了，我也提到，在紐約的街上，我看到了不只三個妥瑞氏症患者，每一個都跟小雷有同樣的症狀。對於神經科醫生來說，那一天真是眼界大開。在幾個一閃而過的畫面中，我看到了最嚴重的妥瑞氏症到底是怎麼一回事；那不只是抽搐或不由自主的動作而已，而是知覺、想像力、感覺，也就是整個人，都處於一種抽搐、無法控制的狀態。

街頭是最好的教室

從小雷身上可以看到妥瑞氏症患者在街頭可能發生的情形，但這還不足以完全說明。你一定得親眼目睹才能了解。診所或病房並不是觀察這種病最好的場所，至少不適合用來觀察病人最極端、最不可思議的衝動、模仿、另人格化的症狀，以及他們與外界反應、互動的情況。

診所、實驗室和病房的設計，都是為了控制、調節病情，它們是為系統神經學或科學神經學研究所設的，一次只專門進行某些實驗或測試，而不是用來做開放、自然神經學的研究的。想要做開放性的研究，必須在患者不自覺、沒有發現別人在觀察他的狀況下，看他在現實世界中，完全任由病症的每個衝動來影響他的時候，是什麼模樣。同時觀察者本身也需要融入觀察的情境當中。既然如此，還有什麼比紐約街頭更合適的地方？在這個大城市的街上，誰也不認識誰，症狀嚴重、無法控制自己動作的病人，可以以最大的自由度（或說受控制程度），在其中恣意顯露他們的症狀。

「街頭神經學」的確有值得一提之處。帕金森，就像英國小說家狄更斯一樣，有在倫敦街頭散步的習慣。四十年之後，他記錄了以他為名的帕金森症，這項成就不是出自他的診所，而是在摩肩接踵的倫敦街頭所得。在診所中，確實無法徹底觀察和了解帕金森症；它需要開放、可以與環境做複雜互動的空間，才能將此病症特殊的性格顯露出來（米勒的電影「伊凡」就對此有極佳的展現）。

必須在現實世界中，才能看得清楚，並充分明白帕金森症。如果帕金森症如此，那麼妥瑞氏症就更是如此了。麥格與方戴爾的巨著《抽搐》（一九〇一年出版）中有一篇序文〈惡僻者的隱情〉，是巴黎街頭一位有模仿症狀、行為怪異的患者的一番內心話，文中對於這種病有非常精采的描述。而詩人里爾克在其著作《馬爾泰手記》中，也描繪了他在巴黎街頭看到的某個有習癖症狀（譯注：一定要重複某些刻板的舉動或怪異的習慣）的妥瑞氏症患者。而我真正見識到妥瑞氏症，也不是在診療室中看到小雷，而是隔天的街頭經驗。其中有一幅景象，實在太特異了，以至到今天還鮮明如昔。

引發騷動的模仿秀

那一天，我的目光為一個年約六十的灰髮婦人所吸引。她顯然表現出了妥瑞氏症最奇妙的核心症狀，雖然一開始看不清楚她到底在做什麼，為什麼行為會如此混亂。她是在抽搐嗎？到底為什麼扭曲成這樣？而且有一種魔力或感染力，使得她咬著牙、抽搐著身體與某些人擦身而過時，在他們當中引起一陣騷動。

走近一點才發現是怎麼回事，她正在模仿每個路人，用模仿這個字可能還不夠傳神，或許應該這麼說，她用一種漫畫般的滑稽樣子來表演每個從她身旁走過的人。在一秒鐘之內，她就「捕捉到」所有人的特點。

我不知道看過多少擅長模仿或搞笑的人，譬如小丑和怪人之類的，但都沒有當下我所目睹的那樣令我震撼：她幾乎是在瞬間就自動且不由自主地反照出每張臉、每個樣子。而且還不只是模仿，因為太自成一格了。

這個婦人不只迅速變換無數人的表情，還感受到他們的內在，一併呈現出來。每一個她所反映出來的動作、表情，都是用一種誇張而諷刺的方式，表演出別人最顯著的特徵或表情。然而，她的誇張卻是身不由己，不是故意的，因為她所有的動作都速度太快而變得扭曲。所以，原本微微的淺笑，以快的不得了的速度呈現時，就變成僅僅持續千分之一秒、模樣嚇人的鬼臉；而一個很大的手勢經過加速，則變成痙攣得可笑的動作。

在街頭的一角，這名瘋癲的老婦，以迅雷不及掩耳的速度，好像萬花筒般地模仿了四、五十個過往行人的特徵，每幅畫面不過維持一、兩秒鐘，有時候還更短，而這整個令人目眩的過程很少超過兩分鐘。

隨之而來的，還有第二輪和第三輪可笑的模仿：因為路人被她的模仿搞得又驚又怒，不知所措，臉上露出各種表情，而她又反映出這些表情，看在別人眼中，是再一次的變形、扭曲，也讓周圍的人更生氣、更震驚。如此奇異、非人為所能控制的呼應或連帶關係，讓在場的人陷入一種荒謬而且愈來愈誇張的互動當中。而我從遠處所看到的混亂，就是這種情形。這名婦人幻化成每一個人，卻失去了她自己，變成了不存在的人。她有千張臉、萬種面具、數不盡的角色，但在這些身分的漩渦當中，究竟有幾分屬於她自己？

答案隨即出現了，一秒鐘都不耽擱，因為她的模仿帶給自己和周遭的人的壓力，已經快要到臨界點了。突然，她垂頭喪氣地轉身離開，走進一條遠離大街的小巷當中。在巷子裡，她以更快的速度，擺脫了所有的動作、姿勢、表情、態度，以及與她擦身而過的那四、五十個人的一連串的行為劇本。她無聲地呼出一大口氣，原先附身於她的那四、五十個人的身分，都被吐了出來。如果當初這些人上身花了兩分鐘，擺脫掉他們卻只在瞬息之間，她在十秒鐘內就擺脫五十個人，平均一個人花不到五分之一秒。

征服疾病或被疾病征服

後來我花了好幾百個鐘頭訪談妥瑞氏症患者，觀察、記錄、了解他們。不過，再也沒有一次比得上紐約街頭那魔幻式的兩分鐘，讓我以更快的速度對妥瑞氏症懂得更多，並且徹徹底底地體驗到這種病是怎麼回事。

我當下有一種想法，認為必須要給「超級妥瑞氏症」一種非常特殊的定位。因為他們官能性的怪癖，並非出於自願。那些怪癖與「超級柯薩科夫症候群」有些雷同之處，但，無庸置疑的是，這兩種病的病源完全不同。

兩種病症都會產生不協調與人格上的錯亂。然而，不幸中的大幸是，柯薩科夫症候群患者並不知道自己生病了。但妥瑞氏症患者卻是清醒著受苦，而且有點諷刺的，後來往往成為最了解這種病的人，雖然他們並沒有能力或沒有意願擺脫自己的病。

柯薩科夫症候群患者陷於半昏沉或神智不清的狀態，妥瑞氏症患者則表現出過人的活動力——他既是活動力的創造者，也是受害者，他可以讓自己愈來愈亢奮，卻沒有辦法減緩下來。結果妥瑞氏症患者被迫與病症建立起一種曖昧的關係：被自己的病征服、征服自己的病，或者玩弄疾病——每個病人與他的病症或敵或友，狀況各有不同。這些情形在柯薩科夫症候群患者身上是看不到的。

由於缺乏正常、有保護性的居所，以及正常、能夠清楚界定的自我，妥瑞氏症患者的自我一輩子都處於被轟炸的狀態。內在和外在的驅策力欺騙他、攻擊他，這些驅策力一方面是官能性的、非他所願的，另一方面卻又與他融為一體，而且深具魅力。病人的自我怎麼願意且能夠忍受如此長久的疲勞轟炸？

面對這破碎的世界，以及這樣的壓力，病人的自我還能發展嗎？或者，自我會不會被淹沒掉了，產生了另一個「妥瑞氏靈魂」（借用我最近一位病人一針見血的用語）？妥瑞氏症患者的靈魂所承受的，不只是疾病上的壓力，還包括了自我存在，甚至是神學上的壓力。他的靈魂能固守城池，還是會被每一項無望痊癒的症狀和力量攻占、附身，以致被附的本體最終消失於無形了呢？

奮力為健康而戰

蘇格蘭哲學家休姆曾寫道：

> 我想大膽證實——人只不過是各種感覺的集結，一個接一個的感覺，以不為人知的快速，無盡地湧流、不停地運動。

所以，休姆認為，自我認知根本是無稽之談——我們並不存在，人只不過是連續的感覺或知覺罷了。

正常人顯然並非如休姆所言，因為人擁有自己的認知。那不只是一連串的感覺而已，而是屬於他自己的，與一個恆久存在的自我相結合。不過，休姆的一番話，或許正可以形容像患有超級妥瑞氏症這般不穩定的人，因為他們的生命，就某種程度而言，是一連串雜亂無章的知覺與動作，詭譎不定的幻象，翻騰不已，卻找不到中心點，也不自覺。到了這種程度，病人變成「休姆式」人，而不是普通人。

一個衝動太過強烈的人，究竟會不會失掉自我，這是至今無解的哲學，甚至是神學問題。我們可以將這樣的問題與「佛洛依德式」的命運相提並論，因為後者也是被衝動所淹沒——只不過佛洛依德式的命運是有理可循的（這也讓他們更具悲劇性），而「休姆式」人所面對的，卻是毫無意義與荒謬的命運。

也因此，超級妥瑞氏症患者為了存活，被迫不停地奮鬥。為了成為真正的人，為了在面對不斷出現的衝動時，仍然保有完整的人的樣子。可能從孩提時代開始，想成為一個獨立個體，一個真正的人，對病人來說，就是困難重重。

讓人稱奇的是，大部分的個案都成功了。生存的力量，以及想要活得與眾不同的意志力，絕對是人類最強的力量：這股力量比衝動還強、比疾病更有力。健康，以及為健康而戰的力量，通常是最後的勝利者。

第三部

神遊

在這部分所述的所有神遊現象，
或多或少都有清楚的器官上的病因。
這一點絲毫不損及這些病例在心理學或靈性上的意義。
如果上帝，或者那個永恆的秩序，
可以對癲癇症發作時的杜斯妥也夫思基說話，
為什麼其他器官的毛病，
不能成為通往世間之外或未知之地的那一扇門呢？
這一部分正是探討這樣的心靈之門。

導言

推開心靈之門

當我們批評功能的概念時，即使想要做一個最徹底的再定義，卻還是離不開原先的概念，我們只是從「不足」與「過度」兩個面向出發，做最寬廣的定義而已。但顯然地，完全不同的名詞也還是需要的。一旦我們碰到一些現象，諸如經驗、思想、行動的實際特質時，我們就得使用一些讓人聯想到詩或畫的詞彙。例如，從功能說來看，如何理解人所做的夢？

我們總是有兩個對話的宇宙，就稱它們為「物理的」與「現象的」吧，或者你要用別的說法也可以，一方處理的是量與形式結構的問題，另一方處理的是組成一個「世界」的質的問題。所有人都有自己獨特的精神世界，自己內在的旅程與風貌；而對大部分人來說，這些內在的東西，是不需要去跟哪條神經線連在一起的。我們可以輕易說出一個人的故事，他一生所走的路、所經歷的事，一點也不需要搬出生理學或神經學理論：這些理論，即使不是那樣無聊或莫名其妙，也是太形而上了。

因為我們視自己是「自由的」，至少，我之所以為我，是由最複雜的人性與道德的層面來界定的，而不是由神經功能或系統的規則變化來決定。通常是這樣，卻不必然如此。有時候，一個人的生命可能被某個器官上的病症所切斷、所改變，這時候，就需要從生理學或神經學的關聯來談他的故事了。當然，這就是接下來要談的一些病例。

在本書前半部，我們描述的例子都是有明顯的病理現象，係清楚可見的神經功能過度或不足的症狀。對這樣的病人，以及他們的家屬，更不用提醫生了，大家遲早都會清楚知道：他的「某個地方（生理上）出毛病了」。患者的內在世界，他們的性情或許受到改變；但很清楚，那是由於神經功能某些巨大（可說是巨量）的改變所引起的。在本書的第三部分，最主要要談論的是記憶重現、認知的轉變、想像和「夢境」。

充滿個人色彩的病症

上述現象通常不會受到神經學或醫學的注意。這類的「神遊」通常相當地強烈，放射出個人的情感和意義，一般都將之視為心靈現象，就像人們對夢的看法一樣；認為那或許是無意識或前意識的活動（或者對於一些具有神祕思想的人而言，是屬於「靈性上」的），而不會認為那是醫學上的事，更遑論從神經學的角度來看待了。它們在本質上是頗為戲劇性、有故事、有個人感覺的，所以不容易被看作是病症。

或許這類神遊的病症，在本質上讓人比較容易信賴心理師或告解者的效用；要不，就認為那是精神病，否則就將之擴大解釋為宗教的啟示，而不會去找醫生治療。因為在開始的時候，我們絕不會想到，視覺所見也可能是醫學上的；而且如果起了懷疑，或被發現的確有某些器官上的原因，可能會讓人覺得「貶低」了眼睛所見的價值（當然，事實並非如此，因為價值、評估與病因學一點關係也沒有）。

在這部分所述的所有神遊現象，或多或少都有清楚的器官上的病因（雖然一開始時並不清楚，需要小心檢查才能找出來）。這一點絲毫不損及這些病例在心理學或靈性上的意義。如果上帝，或者那個永恆的秩序，可以對癲癇症發作時的杜斯妥也夫思基說話，為什麼其他器官的毛病，不能成為通往世間之外或未知之地的那一扇門呢？就某方面而言，這一部分正是探討這樣的心靈之門。

傑克森在一八八〇年時，描述這類「神遊」、「時空之門」或「夢境狀態」，出現在某些癲癇症發作的過程中。他所使用的是最通俗的字眼——記憶重現。他寫道：

如果沒有其他的症狀，我絕不應該單從記憶重現症狀的出現來斷定癲癇。雖然當高度活躍的精神狀態出現頻率過高時，還是可以懷疑有罹患癲癇症之可能；但病人從來不會只因為記憶重現而來就醫。

大腦編織的神奇飛毯

不過我本人卻看過這樣的病人：他們因為強迫性的，或突然發作的記憶重現，例如聽到聲音、看到東西、回到某些現場或景象而來找我。這樣的情形不只出現在癲癇病人身上，其他各樣的病症也會出現。這類的轉移或記憶重現，在偏頭痛的病例中也不乏其人，希德格就是一個例子（見第二十章）。回到過去的感覺，不管是因為癲癇或藥物中毒的關係，充滿在〈歸鄉〉這個故事中（見第十七章）。單純由藥物或化學品引起的病例，構成了〈六十三歲的阿飛少女〉（見第十六章）這個病例和〈那段擁有狗鼻的時光〉（見第十八章）裡描述的詭異的嗅覺增強現象。〈謀殺者〉（見第十九章）當中可怕的記憶重現，則可能是痙攣或額葉的受損所引起的。

這一部分的主題，是談論人的腦部顳葉與邊緣系統受到不正常刺激之下，所激發出來的想像力與記憶，如何使一個人心神改變的力量。這也讓我們了解到一些有關掌管視覺與夢的大腦機制為何，以及讓我們看到大腦是如何織起一張神奇的飛毯，將人帶到天外一方。

第十五章 迴盪腦中的兒時記憶

歐康太太有點兒耳背，不過健康狀況良好。
她住在一家老人院中。
一九七九年一月的某個晚上，
她夢見了在愛爾蘭的童年，
夢境如真，充滿鄉愁，
尤其是耳邊響起陣陣當時跳舞、唱歌的樂聲。
當她悠然轉醒，樂聲卻依然不止，
非常響亮而清晰。

歐康太太有點兒耳背，不過健康狀況良好。她住在一家老人院中。一九七九年一月的某個晚上，她夢見了在愛爾蘭的童年，夢境如真，充滿鄉愁，尤其是耳邊響起陣陣當時跳舞、唱歌的樂聲。當她悠然轉醒，樂聲卻依然不止，非常響亮而清晰。

「我八成還在做夢，」她這麼想，但這不是夢。她從床上坐起，人很清醒，卻十分疑惑。當時正值半夜。她猜想，一定是有人沒關收音機。但是為何只有她一個人被吵醒？每個找得到的收音機，她都檢查過了，全都關得好好的。於是她又想，以前聽過補牙用的填充物，有時候會像電晶體收音機一樣，接收到一些特別強的廣播電波。「一定是這個原因，」她想：「我的某顆牙齒裡的東西在作怪。情況不會太久，明天就找人幫我弄好。」她向值夜班的護士投訴，護士小姐則認為她的牙齒看起來沒什麼問題。

就在這當兒，歐康太太的腦海又閃進一個問題：「哪一家電台，」她自問自答：「會剛好在半夜三更播放愛爾蘭歌曲？而且只播歌，連一點介紹都沒有，又剛好都是我知道的歌？哪一家電台會只播我的歌，而不播別的？」想到這裡，她問自己：「難道這家電台是在我的腦袋裡？」

這下子她才完全亂了方寸，而那音樂還是一樣那麼大聲。她最後的希望落在她的耳鼻喉科醫生身上。他應該會安慰她，告訴她那只是因為聽力不好引起的「耳鳴」，沒什麼好擔心的。但是當她隔天去看病的時候，醫生卻說：「不，歐康太太，我不認為這是耳朵的問題。有點兒唧唧聲或嗡嗡作響是有可能，但是一整套愛爾蘭歌曲，唔，這跟妳的耳朵沒關係。或許，」他繼續說：「妳該去看看精神科醫生。」

歐康太太又去看了精神科，醫生卻也說：「不，歐康太太，不是妳神志不清。妳沒瘋，瘋子不會聽到音樂，他們會聽到『說話的聲音』。妳該去看一個神經科醫生，他是我的同事，薩克斯醫生。」也就是這麼回事，歐康太太才找上門來。

耳朵裡有聲音響個不停

要跟她交談可不輕鬆，部分原因是由於她耳朵不靈光，但更多時候是因為她聽到的音樂太大聲，我的話都被掩蓋了，只有當輕柔一點的音樂出現時，才聽得到我在說什麼。她看起來精神奕奕，沒有神志不清或瘋狂的跡象，但眼神看起來有點兒遙不可及，像是被什麼吸引住了，半個人沉浸在自己的世界中。我檢查不出她的神經系統有什麼毛病。然而，我還是懷疑那音樂是「神經」上的問題。

歐康太太到底出了什麼狀況，竟會碰到這種怪事？她已經八十八歲，身體好得不得了，也沒有發燒。她並未服用任何會混淆她那聰明腦袋的藥物。而且看得出來，她在前一天也是正常無礙的。

「會不會是中風呢，醫生？」她問道，一邊端詳我在想什麼。

「有可能，」我回答：「雖然我從沒看過中風會這樣的。可以確定的是出了點狀況，不過妳應該不會有什麼大礙。不用煩惱，正常作息就是了。」

「要正常作息可不太容易，」她說：「如果你是我的話，你就能體會了。我曉得現在四下安靜，可是耳朵裡卻充滿了響聲。」

我想直接對她做一次腦電圖檢查，特別看一下腦部掌管音樂的顳葉，不過詭譎的病情，卻讓檢查過了好一陣子才進行。因為就在檢查之前，音樂突然變得比較小聲，也沒有一直響個不停。經歷過去三天的折磨，她終於可以睡得著，而且在歌和歌之間，也能跟別人交談，聽得到對方在說什麼。

到我進行腦電圖之前，她在一天之中只會偶爾聽到片段的音樂，約莫十幾次而已。當我們將她安置就緒，把電極裝在她頭上之後，我要求她靜躺，不要說話，也不要「對自己唱歌」，只有當她在過程中聽到任何歌曲時，才微微舉起右食指（這個動作不會影響腦電圖的檢測結果。）在兩個小時的記錄當中，她舉起食指三次，每次她有動作時，也都是腦電圖筆急促記錄的時候，而所畫出來的顳葉腦波，又尖又密。

這一點肯定了她的確有顳葉部位的癲癇症狀。就如傑克森所猜測，後來經由潘懷德所證實的，「記憶重現」的現象，八、九不離十都跟這個原因有關。但是她為什麼會突然得了這種怪病呢？進行了腦斷層掃描之後，結果顯示，她的確在右顳葉的部分，有一小塊血栓或受傷的地方。那天晚上突然湧現的愛爾蘭歌曲，以及其腦海中的音樂記憶突然又活躍起來，顯然都是中風的結果。而當血塊逐漸消溶，那些歌曲也就漸漸淡去。

到四月中時，歐康太太耳中的音樂已經全然消失，她又回歸正常了。這時候我問她感覺如何，特別是，她會不會懷念那些因為病症出現才聽到的歌曲。「你問到這點滿好玩的，」她面帶微笑地表示：「大致上而言，這對我是種解脫。不過，沒錯，我真的有點懷念那些老歌。現在這些歌我又大半記不起來了。那時就好像上天再一次還給我早已失落的童年。而且有的歌實在是好美。」

在我那些服用了左多巴的病人身上，我也聽過類似的感慨。我的說法是「無法抑遏的鄉愁」。歐康太太的一番話，她那掩藏不住的鄉愁，讓我想到威爾斯一篇著名的小說《牆上之門》。我把這個故事告訴她，「就是這樣，」她說：「它完全抓住了那種情緒、那種感覺。但我的門是真的，我的牆也是真的。我的門引我到那失落已久、塵封記憶深處的過去。」

懷疑自己精神有問題

我後來不曾再碰到類似的病例，一直到去年六月，我被要求去探視歐麥太太，她也住在同一家老人院中。歐麥太太也是個八十多歲的老太太，同樣有點兒耳背，也同樣是腦袋靈光又機靈。她也是腦海中出現音樂，但有時是鈴鈴作響或嘶嘶、轟轟的聲音；偶爾她也會聽到「有人在說話」，大半聽起來像「在遠處」，而且是「幾個人一起在說話」，所以從來搞不清楚他們在說些什麼。

她沒有對任何人提起這個毛病，只是暗暗擔憂了四年，心想自己是精神不正常。當她從修女那裡聽到老人院中也曾經有類似的案例，她才鬆了一口氣，也才能放開自己，向我坦承她的狀況。

歐麥太太回憶，有天當她在廚房磨防風草根時，一首歌就自動播放。那是「復活節進行曲」，接著，沒隔兩下，又傳來「榮耀，榮耀，哈利路亞」和「晚安，甜蜜的耶穌」。她跟歐康太太一樣，原先都以為是收音機沒關，但很快就發現所有的收音機都是關的。這件事發生在一九七九年的時候。歐康太太的毛病在幾個禮拜後就痊癒了，可是歐麥太太的音樂卻響個不停，而且愈來愈嚴重。

起初她只會聽到這三首歌，有時候是出其不意地自動出現，不過只要她剛好想到當中的一首，那首歌也會出現。所以，她試著不要去想，但這樣做跟刻意去想，結果是同樣的困擾人。

「你喜歡這幾首歌嗎？」我以一種精神科醫生的口吻問她：「它們對妳有特殊的意義嗎？」

「不，」她不加思索地回答：「我從來沒有特別喜歡這些歌，我也不認為它們對我有什麼特殊意義。」

「它們一直唱個不停，妳有什麼感覺？」

「我覺得憎惡，」她的語氣很不悅：「這就像某個瘋狂的鄰居，一直在放同一張唱片。」

起先一年多一點的時間，她只聽到歌曲不停地瘋狂播放。後來，她腦袋裡的音樂變得更複雜、更多樣，雖然這應該算是病情加重，但對她反而是種解脫。她會聽到無數的歌曲，有時候好幾首一起播放；有時聽到的是樂團演奏或合唱曲；而且偶爾也會聽到人講話的聲音，或只是一些嘈雜的聲音。

矛盾的音樂性癲癇症

當我檢查歐麥太太時，除了她的聽力，我找不出有什麼不正常之處，而我所發現唯一引人注意的地方，是發現她除了有點一般的內耳聽力障礙外，更重要的是，在認知與分辨音調上，她相當有困難。神經學稱此為「解音失能」。而這一點特別跟腦部聽覺顳葉或顳葉功能受損有關。她自己抱怨說，近來聽到的教堂詩歌，似乎每一首都愈來愈像；簡直無法從音調分辨出來，她需要看歌詞，或是從節奏上來區分。

雖然她曾經有一副好歌喉，但當我測驗她的時候，她唱起歌來聲調平板，沒有高低起伏。她也提到，心裡的音樂，在乍醒之際最為清晰，當別的感官印象湧進之後，就沒有那麼清楚了。而在她的心思被占據，例如充滿情緒、正在動腦筋的時候，音樂就比較不會出現，當她專心看東西的時候，尤其如此。在她跟我談話的那一個小時之內，只聽到一次音樂，那時「復活節進行曲」的幾個小節，樂聲又大又急，她幾乎聽不到我說話的聲音。

對歐麥太太做腦電圖檢查，結果顯示在兩側顳葉的部位，電流強度非常的高而且頻繁。這兩個部位跟聲音與音樂的呈現有關，也與喚起複雜的經驗和景象的記憶有關。每當她「聽到」任何聲音時，高頻的電波就變得又長又尖銳，震動得非常厲害。這證實了我原先所想的，她是因為顳葉的問題，而產生了音樂性癲癇症。

到底歐康太太和歐麥太太出了什麼毛病？「音樂性癲癇症」聽起來像個互相矛盾的字眼。因為音樂通常是充滿感情和意義，而且跟我們內心深處某些事物有關，如果用托瑪斯．曼的說法，就是「音樂背後的世界」。然而癲癇卻是另一回事：只是原始、不規則的生理現象，完全未經選擇、沒有感情或意義在其中。

然而，這樣的病症的確存在，病源都在顳葉的部位，也就是腦子深層記憶的部位出現了癲癇的現象。傑克森一百年前就曾經描述過這類病症，他從「做夢狀態」、「記憶重現」與「生理性痙攣」幾個方向來討論這樣的病情：

> 癲癇病人在發作前會經歷既模糊又極度清晰的精神狀態，這種情況並不罕見……這種過度清晰的精神狀態，或稱心智型癲癇前兆，在各個病例所呈現的不同預兆都前後一致，至少可說

基本上是一貫相通的。

保留點點滴滴的回憶

這樣的描述，一直都被當成奇聞軼事來談；直到半世紀之後，潘懷德完成了傑出的研究，大家的想法才改變。潘懷德不僅能指出病情源自於顳葉，還能誘發出傑克森所說的「極度清晰的精神狀態」。藉由對大腦皮質病變的部位施以輕微的電流刺激，他讓手術中但意識清醒的患者，產生栩栩如生、巨細靡遺的「經驗幻覺」。

電流的刺激馬上喚起對聲音、人或景物非常逼真的幻覺，患者猶如真的經驗到這些幻覺、活在其中，不受手術房慘白氣氛的影響，他們還會告訴在場的人一些活靈活現的細節。這種狀況肯定了傑克森六十年前所描述的，病症的特徵是「雙重意識」：

發生的狀況是：產生新生的、類似寄生狀態般的意識狀態（做夢狀態），而正常意識還留著，以致成了雙重意識……一種心智的複視現象。

這段話恰如其分地表達出我這兩個患者的狀況：歐麥太太可以聽到我說話、看到我，卻不能聽得很清楚，因為如夢境般回響在她耳邊的是，震耳欲聾的「復活節進行曲」，或是另一首比較安靜、但更深刻的「晚安，甜蜜的耶穌」（歌聲讓她猶如置身於常去做禮拜的三一街教會，那裡通常在九日祈禱之後，會唱這首歌）。歐康太太也可以看到我、聽到我的話，而同時存在的是跟其更深層的記憶有關的症狀，愛爾蘭的童年歷歷重現：「薩克斯醫生，我知道你在那裡。我知道我是個住在養老院的中風老婦，但我感覺自己又回到小時候的愛爾蘭，我感覺到媽媽的懷抱，我看到她、聽到她在唱歌。」

如此的癲癇性幻覺或夢境，就像潘懷德的研究，從來不是天外飛來的幻想，總與記憶有關，都是些細節最清楚、最真切的記憶，並且伴隨著記憶當初發生的感情。一些特別而且同樣的細節，每次對大腦皮質加以刺激時都會出現，它們超越了任何平常能有的回憶。這一點讓潘懷德認為，腦子幾近完美地保留了每個人一生中每一筆經驗的紀錄。

人意識裡所有的涓滴細流都保存在腦中，也因此，不管是正常的需要或生活情境，或是因為癲癇或電流刺激引發的特殊狀況，都能將這些記憶激發出來或喚醒。由於這樣不由自主的記憶與景象，林林總總又「荒謬」，潘懷德因此認為，這些重現的記憶基本上是無意義且沒有規則可循的：

手術的時候可以看得很清楚，刺激出來的經驗反應，可以是患者過去生命中曾出現的意識裡的任何一小段（潘懷德繼續描述一些他所刺激出來的特殊夢境或景象）……；那時候可能是正在聽某段音樂、在看舞廳的大門、在想像漫畫裡強盜的行為，剛從某個似真的夢境中醒來、跟朋友在談笑風生、正在仔細地聆聽小孩在做什麼，以確定孩子還安全，也可能是在看閃亮的燈號、正躺在待產室裡、剛好被某個壞蛋嚇到了、或者看著人們進到屋裡，衣服上還沾著雪花……也可能是站在街邊……久遠以前的孩提時代，觀賞馬戲團花車的情況……聽到（看著）媽媽催促離去的客人……或者聽到父親與母親合唱聖誕歌。

腦部的十大金曲排行榜

我真希望能夠完全引用潘懷德這段精采的描述。他的文字，就像我那位愛爾蘭女士一樣，呈現了奇妙的「個人生理學」，也就是關於自體的生理學。最令潘懷德印象深刻的是音樂性的症狀，他提供了許多令人大開眼界，而且通常很好玩的例子，在超過五百個顳葉癲癇病人中，他研究了其中百分之三的人有此症狀：

我們很訝異，患者因受電流刺激而聽到音樂的次數竟然這麼多。在十一個案例中，引發音樂的刺激點有十七處。有時侯聽到的是管弦樂，有時侯是歌唱聲或琴聲或合唱。還有幾次，患者表示，聽起來像是收音機的主題音樂……產生音樂的部位位於上顳腦迴，包括側面或上表面（而這個地方，也靠近一般所稱的音樂性癲癇症的發病部位）。

潘懷德提出的個案，很戲劇性、也很喜劇性地證實了這一點。下面的一覽表是從他最後一篇報告中節錄下來的：

「白色聖誕」（案例四）。由唱詩班唱出。
「跟著一起搖滾」（案例五）。非由病人指認出，但由手術房的護士在聽到患者接受刺激之後，口裡哼著這首歌時認出。
「寶貝，再見」（案例六）。由患者的媽媽所唱，不過也被認為是收音機節目的主題歌。
「曾經聽過的一首歌，收音機上常常播放的」（案例十）。
「噢，瑪莉」（案例三十）。收音機節目的主題歌。
「教士聖戰進行曲」（案例三十一）。這首歌出現在患者的一張唱片「哈利路亞大合唱」裡。
「媽媽爸爸唱聖誕歌」（案例三十二）。
「男孩與女孩的音樂」（案例四十五）。
「你永遠都不會知道」（案例四十六）。從收音機裡常常聽到的歌。

在每一個個案身上，音樂都是一成不變、定型的，就像歐麥太太的情況。一而再、再而三地聽到同樣的調子，不管是經由當下抽搐的過程，或者是經由電流刺激發作點，結果都是一樣。這些調子不只是收音機常播放，也常出現在幻覺性的腦部病變中：可以說，它們是「腦部十大流行歌曲」。

深入了解音樂背後的世界

我們一定會好奇，究竟是什麼原因，某些特定歌曲（情境）會被特定的患者「選擇」在幻覺時重現？潘懷德也想到了這一點，而且覺得這種選擇是沒有什麼理由，也沒有什麼意義的：

即使確切知道這種可能性，還是很難想像說，某些微不足道、出現在受刺激或癲癇時的事件或歌曲，對患者會有任何情感意義。

他的結論是，選擇什麼歌曲，是「相當隨機的，除非某些證據顯示，當時有受到大腦皮質的制約作用」。這樣的說法、這種態度，可以說是屬於生理學的。潘懷德或許是對的，但會不會還有更多他沒有說到的？他真的「確切知道」、足夠了解這些歌曲的情感意義嗎？他夠了解托瑪斯．曼所說的「音樂背後的世界」嗎？一些膚淺的問題，例如「這首歌對你有特殊意義嗎？」這樣問夠深入嗎？

從研究「自由聯想」上，我們很清楚地知道，一些看起來最微不足道、或是偶爾閃過的念頭，很可能有著我們所沒預料到的深刻與心靈的共鳴，而這只有透過深度的分析才會顯現出來。顯然地，潘懷德並沒有做這樣深度的分析，其他的生理心理學也未曾探究到。我們不清楚這般深度的分析是否必要，不過，若有這樣一個千載難逢的機會，遇到歌曲與景象混雜出現的症狀，總該做個嘗試。

我很快就再回去找歐麥太太，試著誘發她對那些歌的聯想和感情。這或許是不必要的，但我覺得值得一試。一件重要的事已經浮現了：雖然她無法有意識地說出對這三首歌有什麼特殊的感情或意義，但現在她想起來，而且經身邊的人證實，她早在中風之前，就常無意識地哼這幾首歌。這一點顯示，這些歌早已經過無意識的「選擇」，而這樣的選擇後來被一個力量更強大的器官疾病取代。

如今這些歌還是她的最愛嗎？現在它們對她有沒有意義？拜訪歐麥太太之後一個月，《紐約時報》上有一篇文章〈蕭士塔科維奇有個祕密嗎？〉文中認為，蕭士塔科維奇的「祕密」，根據一位中國神經學者王博士的說法，是一塊金屬碎片，一片子彈的碎片在其左顳部腦室裡面游移。而蕭士塔科維奇很顯然地，不願意拿掉這片碎片：

他說，由於碎片在裡頭，每次他把頭歪一邊時，就可以聽到音樂。他的腦袋中充滿了旋律，而且每次都不一樣，他在作曲時就拿這些旋律來當素材。

X光的檢查也發現，當蕭氏的頭偏向一邊時，碎片就跟著游移，壓迫其「音樂」顳葉，在他作曲時，旋律就源源不絕地流出，讓這個天才有東西可用。《腦與音樂》的主編漢生博士，說過一句相當諷刺卻又不盡然是嘲弄的話：「我遲遲不敢肯定這事絕不可能發生。」

回應內心深處的需求

看了這篇文章之後，我把它拿給歐麥太太看，而她的反應既強烈又堅定。「我不是蕭士塔科維奇，」她說：「我無法利用我的歌。況且，我已經厭煩透了，老是同樣的調子在重複。音樂性的幻覺對蕭氏可能是上天的恩賜，但對我來說，不過是件惹人厭的事。他不想要治好，我可是想要得不得了。」

我對歐麥太太進行抗癲癇的治療，她立刻就不再受到音樂的干擾了。最近我又見到她，於是問她，還想不想念那些音樂。「門兒都沒有。」她說：「沒有它們，我的日子好過多了。」但，就像我們所見的，歐康太太的情況又不樣了。她的幻覺更複雜、更神祕，是一種更接近內心深處的幻覺，即使其產生的原因也不一定，在心理層面上卻有很大的意義和用處。

在歐康太太這方面，她的癲癇症無論就生理或個人的性格與影響來看，的確從一開始就不一樣。起初的七十二小時，她幾乎持續地在發作，或處於癲癇發作的狀態，同時伴隨了腦顳葉中風。病情可說是來勢洶洶。其次，病情發作時，也會產生很強烈的情感（這點也有其生理因素，主要是突然的中風，對於腦部深處的感情中樞如副海馬迴、扁桃體，以及邊緣系統產生干擾），還有很鮮明的幻覺內容（充滿了對過去的緬懷），讓她不由自主地感覺自己又變回小孩子，在她早已不復記憶的老家，承歡於母親的懷抱中。

很可能，像這樣既有病理也有個人成分在其中的癲癇症，致病的原因出自腦部一個特別的部分，但也同時與某個心理狀況和需要吻合。威廉斯於一九五六年時就曾報告過這樣的案例：

一個具有代表性的個案是三十一歲的病人（病歷編號是二七七〇）。他主要的病症是癲癇，發生在當他發現自己置身於一群陌生人之中時。病症發作時，他會產生視覺記憶，看到家中的父母，產生「回家真好」的感覺。他將它描述成一項非常美好的記憶。他還會起雞皮疙瘩，時冷時熱，而每次發作時都伴隨了痙攣的症狀。

威廉斯對這個驚人的故事，沒有做很好的相關分析，沒有釐清所出現的幾個症狀之間的關係。患者的感情被當作純粹是生理作用，即不正常的「難以抑遏的快感」。而他回到家的感覺與本身寂寞之間的關係，也同樣被忽略。當然，他也許是對的；或許這一切完全只是生理作用；但我忍不住會去想，如果一個人一定要得到這種病，那麼病例編號為二七七〇的這個人，剛好在恰當的時機，得了恰當的病。

重拾失落已久的童年記憶

在歐康太太這方面，那種回到家的需要是更長期而深沉的。因為她的父親在她出生之前就過世了，她的母親在她不到五歲時也過世了。她孤伶伶的一個人被送到美國，與一個相當古板的老處女姑媽同住。歐康太太對她五歲以前的生活完全記不得，她想不起母親的樣子、也沒有對愛爾蘭或「家」的記憶。她總是為此而深感痛苦、憂傷，因為她生命中最早期、最寶貴的那幾年，她竟然毫無印象，或者完全忘記了。

她一直試圖去捕捉失落的童年記憶，卻從未成功。如今，在夢中，以及隨夢而來、一段很長的「如夢般」的狀態中，卻讓她成功地重拾已經遺忘的重要感覺，也就是那失落的童年。她的感覺，絕不只是「難以抑遏的快感」，而是一種深深顫動心弦的喜樂。就像她所說的，那就像打開了一扇門——一扇在她一生中，一直緊閉的門扉。

在莎拉曼有關「不自主的記憶」的精采著作中，她說到保存或重拾「童年神聖寶貴記憶」的必要性，也說到，如果生命沒有這些記憶，將會何等的貧乏而「不見天日」。她提到重拾童年記憶所帶來的深沉的喜樂，以及對事實的感受，而且她引用了許多精采的自傳式的話，特別是杜斯妥也夫思基與普魯斯特的話。我們都是「從我們的過去被放逐，」她寫道，也因此，我們需要重拾過去。

對已近九十高齡，漫長寂寞的一生即將接近尾聲的歐康太太來說，重拾這段「神聖而寶貴」的童年記憶，這段如同奇蹟般的回憶，等於是打開了那扇緊閉的門。而令人啼笑皆非的是，這樣的記憶，卻是由腦部的病變所帶來的。

歐康太太跟歐麥太太不同的是，後者的腦部病變所引起的症狀讓人疲憊而厭煩，而歐康太太的病況卻反而讓她從心靈深處得到更新。它們讓她的心理上有了踏實的感覺；也重拾幾十年來被切斷、「放逐」的最基本感覺，她終於擁有了真正的童年與家的感覺，終於得以在母親的懷抱中享受關愛。不像歐麥太太想要接受治療，歐康太太則拒絕接受抗痙攣的藥物，她說：「我需要這些記憶，我需要現在發生的事……何況這一切就快要自行結束了。」

生活原來是這樣安寧和平靜

杜斯妥也夫思基在癲癇症狀發作時，也有身體上的痙攣或「天馬行空的精神狀況」。他曾說過這段話：

你們所有健康的人，無法想像我們癲癇患者在發作前一秒鐘那種快樂的感覺……；我不知道這一次美妙的經驗將持續幾秒鐘或幾小時、幾個月，但是相信我，我絕不願意拿我的病來交換生命裡的其他任何快樂。

歐康太太應該可以體會這一段話。她也知道，病症發作時是什麼樣的美妙滋味。但這樣的病對她來說反而是正常與健康的極致，就像一把鑰匙或一扇門，通往正常與健康。因為這樣，她把自己的病當成是健康、當成是治療。

當她症狀減輕，漸漸從中風復元時，她有段時間非常想念她的病，而且覺得害怕。「門要關起來了，」她說：「我又要失去這一切了。」四月中旬時，她真的是失去了兒時的景象、音樂和感覺；失去了開回早年世界、突然出現的癲癇列車——這段經驗，無疑是真真實實的記憶重現，因為，就像潘懷德所確實顯示的，這一類的癲癇症會捕捉且重新產生一段事實，一段經驗的事實，絕非幻象：那是一個人的生命和過去經驗中，確實存在過的某個片段。

只不過，潘懷德總是以「意識」來說明，生理的痙攣彷如攫獲或重演了部分的意識流或意識現實。在歐康太太身上特別重要、令人感動的是，癲癇引起的記憶重現，卻捕捉到了某些她無意識的事情，即幼年的經驗。這些經驗不是已經淡去，就是受到意識的壓抑，卻癲癇性地回復過來，成為完全的記憶與意識。

因為這個理由，我們得假設，雖然生理上，那「一扇門」是關閉的，經驗本身並沒有遭到遺忘，反而是在腦海中留下深刻而長久的印象，而記憶重現是非常重要且具有治療性經驗的。「我很高興我生病了，」事情過後，她說：「這是我一生最健康、最幸福的一段經驗。我不再有一大段空白的童年。現在我不能記得細節，但我知道它一直在那兒。過去從來沒有過如此圓滿的感覺。」

她的話裡沒有贅言，一字一句都是勇敢而真切的。歐康太太的病的確產生了某種「皈依」的作用，賦與一個原本沒有中心的生命一個中心，還給了她失落已久的童年。而她也因此獲得了過去所沒有的平靜，這樣的感覺會持續到其生命終了：只有那些擁有過，或重新憶起真正過去的人，才能獲得靈性上無比的平靜與安寧。

後記

「病人從來沒有只因為『記憶重現』而來看病……，」傑克森醫生說，相反地，佛洛依德則說過：「精神官能症（神經症）就是記憶的重現。」不過可以很清楚地看到，兩個人用這個名詞，指的卻是完全相反的兩回事。因為心理分析的目標，可以說，是要以對過去真實的記憶或回想，來替代錯誤或虛幻的「記憶重現」；生理的癲癇所引起的，無論是枝微末節的，或是深刻的事物，正是這類真實的記憶。

我們知道佛洛依德相當欣賞傑克森，但我們可以確知，活到一九一一年的傑克森卻從沒聽過佛洛依德這號人物。

像歐康太太這樣的病例之所以美，在於它既是傑克森式的「記憶重現」，也是佛洛依德式的「回憶」。她染患了傑克森式的記憶重現，但這樣的病症，反成為一股安定和醫治的力量，變成了佛洛依德式的回憶。

類似的病例是很寶貴而激勵人的，因為它們就像生理與個人之間的一座橋。如果我們有心的話，它們也指點了未來的神經學，那將是與人實際經驗息息相關的神經學。我想，這樣的說法不會觸怒傑克森醫生，或讓他覺得訝異。實際上，可以肯定的，他也曾經這麼夢想過。早在一八八〇年當他寫到「做夢狀態」與「記憶重現」時，就這麼想過。

潘懷德與培洛將他們的研究報告命名為〈視覺與聽覺經驗的腦部紀錄〉，我們或許現在可以思考一下這樣的內在「紀錄」會是什麼樣的形式。這些完全個人化的癲癇症狀出現時，會發生（一段）記憶完全的重現。那麼，我們會問，這樣的經驗又是如何重新建立的？是類似於電影或錄影帶，透過腦中的放映機播放的嗎？或者只是類似的，邏輯上比較初始的東西，如劇本或草稿之類的？

我們生命的每一幕劇，最後的形式與自然的樣子究竟是怎樣？是否，生命的劇本不只提供了記憶與重現的記憶，也關乎我們每個層面的想像，從最簡單的感覺到活動的影像，到最複雜的想像世界、景物都包括在內？生命的一幕劇、一段回憶、一番想像，都是絕對屬於個人，精采絕倫且是獨一無二的。

記憶與心靈的本質

我們病人所發生的記憶重現，引發了對於記憶本質的基本問題，在其他的失憶症或過度記憶（見第二章與第十二章）的故事中，也產生同樣的問題。對於認知本質的類似問題也出現在辨識不能的病人身上，例如皮博士戲劇性的視覺辨識不能（見第一章），以及歐麥太太和艾蜜麗對於聲調與音樂的辨識不能（見第九章）。

動作迷罔症或神經性運動不能症，某些智能不足，或者腦前額葉神經性運動不能的患者，則讓我們看到關於行為本質方面的問題。這些患者的神經性運動不能症可能嚴重到病人無法走路，失去讓他們知道兩條腿如何邁動的「運動旋律」。在《睡人》中，我們看到帕金森症患者也會發生這樣的症狀。

歐康太太與歐麥太太受到記憶重現症狀的困擾，旋律與景象一直不斷湧現，那是一種過度的記憶與過度的感受認知。相反地，我們那些失憶與辨識不能的病人，則失去（或漸漸失去）內在的景象或旋律。兩種都見證了人的內在存在了基本的旋律與景象的天性。這也就是普魯斯特所說的記憶與心靈的本質。

對這類病人大腦皮質的某一點加以刺激，馬上引起一陣陣普魯斯特式的意識流或回憶。到底是什麼東西在作用？我們不禁懷疑。哪一種大腦組織能讓這樣的反應產生？我們目前對於大腦皮質運作與產生的現象，還停留在基本的電腦運算式的概念。也因此，對於腦部的運作，多半還是以系統、程式、阿拉伯數字等方式來措辭。

然而，只有系統、程式與阿拉伯數字的概念，就能提供我們豐富的視覺、戲劇性、音樂性，這類由鮮明的個人特質所賦與的質感經驗嗎？

答案很明顯，甚至可以大聲說：「不！」用電腦的概念來呈現腦部的運作，即便是像馬爾與伯恩斯坦兩位（專精此領域的偉大拓荒者與思想家）那樣精確複雜的描述，都沒有辦法讓畫面重現。因為這些畫面正是串出生命織錦的絲絲縷縷。

大腦像魔法織布機

因此，我們從患者身上所得知的，與生理學家所告訴我們的之間，出現了差距，應該說是一道鴻溝。這中間有沒有可以跨越的橋樑？或者，如果不同領域難以跨越，有沒有任何概念可以超越那些電腦機械性的理論，幫助我們可以更了解人性面的、普魯斯特式的心靈，以及生命回憶？

簡單來說，在機械式、夏律敦式的理論之上，能不能有一種個人式或普魯斯特式的生理學？夏律敦自己在其所著的《論人之本質》一書中，也略為提到這個方向。在書中，他想像人的腦部運作，就像一台「魔法織布機」，一直織出各種花樣，但總是有其道理可循，它所織出來的，實際上，就是具有意義的樣式⋯⋯。

有意義的樣式的確可以超越純格式或電腦化的程式或型式，容許涵括在所有回憶、認知與動作裡的個人基本特質流露出來。如果我們問說，這類樣式會有哪些型態或組織，答案馬上躍然心中（而且是無可避免的）。個人的樣式，或個人化的樣式，必須以劇本或樂譜的方式呈現，就如同抽象的樣式，電腦式的樣式，需要以系統或程式的方式來呈現。因此，在腦子的程式之上，我們一定還孕育了大腦劇本或樂譜。

「復活節進行曲」的樂章，我推測，早就深深印在歐麥太太的腦海中，在最初的那一刻，耳中聽到、心中感受的，令人印象深刻的經驗，全都給烙印下來了。歐康太太的情況也差不多；在她腦中「有劇情」的那部分，雖然表面上是遺忘了，卻依然可以再恢復；這部分記憶，一定烙上了她戲劇性的兒時景象。

我們也要指出，就潘懷德的病例來看，即使只是除去一點點大腦皮質中的癲癇的病灶，把引起記憶重現的騷動點除去，都可以完全地拿掉不停湧現的景象；對某些事情完全的記憶重現或記憶旺盛的現象，可以因此而換成完全的遺忘或失憶。

在此，有件特別重要、也格外驚人的事：所謂的「精神外科手術」，或透過腦神經手術來改變人的自我認知，是真的可能的事情。這樣的手術，遠比一般的截除與腦葉切除手術要更精細，而且更專門。它可能阻礙人格發展，甚至使得人性情大變，不過還是無法觸及人的經驗。

所謂的經驗，必須等到它按著每個人的特性而組織起來，才可能存在；若非如此，行動也不成之為行動。腦子對每件事的紀錄，每件活生生的事，都必須是以個人為映照的。即使訊息初期的形式可能是電腦式的或程式型的，腦子最後記錄的，都是個人化之後的形式。大腦最後呈現的紀錄，一定是「藝術」，可說是經驗和行動的藝術化景象與旋律。

雙管齊下

同樣的道理，如果腦中的畫象受到傷害或損害，如失憶症、辨識不能、神經性運動不能症的狀況，要重組這些畫象（若是可能的話），得雙管齊下。尤其像蘇聯神經學者在發展的醫療方式；或者直接針對內在的旋律與景象對症下藥（就像《睡人》、《單腳站立》和本書中的一些案例，特別是第二十一章的案例）。任何一種方式都可以採用，也可以齊頭並進。想了解或幫助腦部受傷的病人，「系統化」與「藝術化」的治療，最好兩者兼顧。

這一切在一百年前就已經有人提到了，傑克森起初對於記憶重現的描述（一八八〇年），柯薩科夫所研究的失憶症；佛洛依德與安東在一八九〇年代對於辨識不能所談的，都是這個方向。他們的洞見已經多半被遺忘，因著後來興起的系統生理學而光采不再。如今是重新回顧這些理論、重新應用的時候了，好讓我們這個時代能有嶄新、美麗的「存在」科學與治療，可以與系統的理論相結合，提供我們全面的了解與能力。

從一開始出版本書，我已經診斷過數不清的音樂性「記憶重現」病例，顯然，在年紀大的人身上，這樣的毛病很常見，只是他們因為害怕而不敢去看醫生。偶爾也會發現嚴重或特別重要的病例（如歐康太太、歐麥太太的狀況）。就像《新英格蘭醫學期刊》在一九八五年九月五日出版的那一期所刊登的，這些毛病是因為中毒所引起的，例如服用過多的阿斯匹靈。

罹患嚴重神經性聽障的人，可能也會有音樂的「幻象」。但絕大部分的病例，都找不出病因，而且他們的症狀，雖然挺煩人的，基本上卻都不嚴重。至於為什麼腦子管音樂的那個部分，比任何一個部分，更容易在老年人身上「釋放」音樂，仍然是個謎。

第十六章

六十三歲的阿飛少女

她說學逗唱時連珠砲般的市井俚語和腔調，
還有一副老油條的樣子，
都讓人想起早年的阿飛少女。
對這個情況，
沒有人比患者自己更驚訝了：「實在太奇怪了，」
她說：「我真搞不懂。
我已經四十年沒有想過、聽過這些事了。
沒想到我還知道怎麼說。
現在它們一直不斷地流進我的腦袋。」

如果說治療患有癲癇症或偏頭痛的病人時，偶爾會遇到「記憶重現」的情況，那麼在我那些使用左多巴而變得興奮的腦炎後遺症病人身上，這種現象就很常見。因為屢見不鮮，我自己都稱左多巴為「某種奇怪的個人時間機器」。尤其是某位病人身上所出現的狀況，實在是太戲劇化了，所以我將她的案例投書到一九七〇年六月號的《刺絡針》季刊。接下來就是當時所寫的那篇文章。

在文中我所思考的，是極端、傑克森式的「記憶重現」，這種症狀是遙遠塵封的記憶突然大量湧現。後來在《睡人》一書中，我重寫這位病人的病史，則較少從「記憶重現」的角度來思考，而是多以「停滯」來形容（我在該文中寫道：「是不是她的生命在一九二六年之後，就是一片空白？」）。同樣的措辭，品特也曾在《有點像阿拉斯加》一書中，用來描述戴柏拉的狀況。

左多巴最驚人的作用之一，是某些腦炎後遺症病人服用之後，會頻繁地出現非常早期、而且已經消聲匿跡好一段時間的症狀或行為。我們已經談到會有呼吸暫停、眼動、運動機能過度亢進及抽搐等症狀。同時也觀察到，許多跟「冬眠」有關的初期症狀，例如肌躍症、暴食、暴飲、性慾亢進、中樞性疼痛、強迫性情感等。在更高層次的功能上，也看到一般受情感控制的道德思考、思考系統、做夢及記憶等，都有回到過去而且變得活躍的現象。而這些功能早已被遺忘、壓抑，或者受到運動機能不足，甚至是癱瘓或腦炎後遺症的壓迫，已經不再活動了。

往事浮現腦海

因為左多巴引起的強迫性記憶重現症狀，在一名六十三歲的婦人身上表現得最厲害。她從十八歲起就因腦炎後遺症，而產生愈來愈嚴重的帕金森症症狀。也因為幾乎是持續的昏睡狀態，而在收容所裡住了二十四年。左多巴起先非常有效地使她從帕金森症與眼動過度中得到解脫，讓她差不多可以正常說話和行動。很快地，（就像其他幾個病人一樣）她出現了過度亢奮與任性而為的現象。這個時期最顯著的就是回到過去，十分快樂地認同她年輕時期的自我，同時也無法控制地出現從前與性有關的回憶和幻想。

病人要了一台錄音機，在幾天內錄下了數不清的淫穢歌曲、黃色笑話和打油詩。所有的素材都是來自於一九二〇年代末期一些聚會時的蜚長流短、猥褻的漫畫，或者夜總會、秀場的表演。她說學逗唱時連珠砲般的市井俚語和腔調，還有一副老油條的樣子，都讓人想起早年的阿飛少女。對這個情況，沒有人比患者自己更驚訝了：「實在太奇怪了，」她說：「我真搞不懂。我已經四十年沒有想過、聽過這些事了。沒想到我還知道怎麼說。現在它們一直不斷地流進我的腦袋。」

因為她一直持續亢奮，需要把左多巴的藥量減少。而這樣做的結果，病人雖然開始變得比較有條有理，卻也馬上把所有早年的記憶忘得一乾二淨，再也想不起來任何一小段她所錄的歌了。

強迫性的記憶重現，通常跟「似曾相識感」，或傑克森醫生所說的「雙重意識」有關。比較常見的狀況是在偏頭痛或癲癇症發作時出現，或在服用了安眠藥，以及精神病發作的狀態下產生。而比較不那麼戲劇化，每個人都可能經驗到的，是當我們聽到某些話、聲音，看到某些景象，特別是聞到某些氣味時，也會強烈地刺激記憶重現。

根據記載，發生眼動過度時，也會使回憶突然大量湧現。祖特曾經描述一個病例，其中有「成千的回憶一下子湧進患者的腦中」。潘懷德與培洛過去曾藉由刺激大腦皮質上癲癇症的那一點，成功地引發了某些固定的回憶。他們據此推論，自然產生或人為引發的腦痙攣，會重新激發腦部「已成了化石的回憶」。

開啟記憶之鎖

我們認為，病人（跟每個人一樣），腦中堆積了無數「休眠」狀態的記憶，其中有些在特殊的狀況，尤其是大量刺激時，會重新活躍起來。這些記憶的路徑，例如大腦下皮質層記載了許久以前，一些不會浮現於精神生活層面的事件，仍然鮮明地刻畫在神經系統內，因為沒有受到刺激，或者存放得太好了，記憶可能永遠都處於休止狀態。而這些記憶被再度啟動所造成的效應，可能完全一樣，而且具有相互影響的可能。儘管如此，我們懷疑，只是說患者的記憶被疾病所「壓抑」，後來又因要回應左多巴所造成的過度亢奮而「予以降低」，可能還不足以形容患者的記憶狀態。

因為左多巴、腦部探針、偏頭痛、癲癇、眼動過度等所引起的強迫性記憶，都可視為是一種記憶重新被激發的現象；因為年紀大或酒醉的時候，引起不停地回憶往事，則比較像是記憶從深鎖之處鬆脫了，或者一條記憶的古道重現了。所有這一切的狀況都能「釋放」記憶，也都能讓人再一次地經驗過去，重新界定過去。

第十七章 歸鄉

巴嘉罕蒂對外界的刺激已然不具反應，

整個人像被自己的一片天地裹住般，

縱使闔著眼，嘴角仍浮現那若隱若現的滿足笑容。

「她在歸途中，」看護人員這麼說：「過不了多久，她就會到達那兒了。」

三天後，巴嘉罕蒂離開了人世，或者該說，

她完成了前往印度的旅程，落葉歸根了吧？

巴嘉罕蒂是位罹患惡性腦瘤的十九歲印度女孩，一九七八年來到我們的安寧病房。她的腫瘤是星細胞瘤，第一次發病是七歲時，但當時惡性的成分很低，完全在掌控的範圍內，可以完全切除，並恢復功能，讓她重返正常的人生。

她的病十年之內都沒有再發作，這期間她盡情享受人生，她是個開朗的女孩，帶著感恩和有自知之明的心情盡興過日子，因為她知道有顆「定時炸彈」在她的頭部。

十八歲那年，腫瘤捲土重來，如今已成為更具侵略性和惡性的東西，且無法割除。減壓手術造成了腫瘤擴張，也造成了左側身體的軟弱無力和痲木，同時帶來不定時的癲癇發作和其他問題，於是，巴嘉罕蒂住進了我們醫院。

一開始她相當坦然，似乎完全接受燭殘光滅的命數，但仍渴望走入人群，做些事，在她有生之年享受和體驗人生。腫瘤寸寸逼近她的顳葉，而減壓手術處也因腦壓增高而膨起（我們使用類固醇以減輕她的腦水腫），她的癲癇發生得更頻繁，也更怪異。

原本的癲癇是大發作型的痙攣，這種情形還是偶爾會發生。不過她新的病情卻有全然不同的特性。她沒有喪失知覺，但看起來（或感覺上）卻好像「在做夢一樣」；很容易確定的是（可用腦電波圖確認），此時她正經歷顳葉痙攣的頻繁發作，而這種情況就像傑克森所言，通常會出現「夢境」和非意志控制的「記憶重現」症狀。

熟悉的夢境

很快地，這種模糊的做夢狀態變得更明確、更具體、更富視覺特徵，開始出現印度的景象，有景致、村落、屋宅、庭園。這一切，巴嘉罕蒂一下子就認出，正是她所熟知且鍾愛的童年景物。

「這使你感到痛苦嗎？」我們問她，「我們可以改變用藥。」

「不，」她帶著祥和的笑顏：「我喜歡這些夢，它們引領我回到故鄉。」

有時，夢境中會有人群，通常是來自她故鄉村莊的親人和鄰居們；偶爾會有談話、或有吟唱、或有舞蹈；她曾置身教堂中，也曾到過墳場，但絕大部分見到的是平原、田地、村落旁的水稻田，還有低矮適於耕作、連綿地推向地平線的山崗。

這些都是顳葉痙攣發作的結果嗎？乍看之下似乎是這麼回事，但現在我們卻沒有那麼確定了，因為顳葉發作（如同傑克森所強調的，以及潘懷德藉由對暴露的腦子刺激所能確認的。參考第十五章）有著相當固定的模式：單一的景象或歌曲，隨著大腦皮質裡的痙攣點，不變地重複著。

然而，巴嘉罕蒂的夢卻非一成不變，在她眼前的景觀不斷地改變，然後又慢慢地淡去。會不會是因當時接受大劑量的類固醇，造成中毒而產生幻覺？這似乎是可能的，但我們無法降低類固醇的用量，不然她可能會因此陷人昏迷，而在短短幾天內死亡。

有所謂「類固醇精神病」的患者，常會情緒激動、行為混亂，巴嘉罕蒂卻始終頭腦清晰，溫和冷靜。用佛洛依德學說的觀點，它們會是幻覺或夢嗎？或是偶爾會出現於精神分裂症的夢狀精神分裂？這又是我們無從確定的。

雖然夢境有如跑馬燈，但很明顯地，那些幻想全是她的記憶，它們跟正常的意識與知覺並肩共存（就如傑克森所說的「雙重意識」），而且並未伴隨有過度的情感意義或強烈的激情。它們似乎更像一幅幅圖畫或一首首交響詩，時而快樂，時而悲傷，生生不息地被喚起、再被喚起，來來回回造訪一段心愛與懷念的童年。

謎樣的微笑

日復一日，週而復始，那夢境、幻象，來得愈加頻繁，漸漸深入。現在它們已非偶然為之，而是占據大半日子，我們會見她入神忘我，好比在昏睡狀態，一會兒緊閉雙眼，一會兒睜開眼卻視而不見，臉上永遠浮現淺淺的、謎樣的微笑，任何人只要趨近她或詢問她事情，例如護士要做些例行的工作，她也會神智清楚、有禮貌地立即做出反應。但即使是醫院的清潔人員也會感覺到，她活在另一個天地裡，我們實在不該去打擾她。

我分享她這種感覺，雖然好奇不已，卻無意去深究。有一次，也就只有那麼一次，我對她說：「巴嘉罕蒂，那是怎麼回事？」

「我快死了，」她回答：「正要回家去，回到我的故鄉。你可以說它是我的歸航。」

又過了一週，巴嘉罕蒂對外界的刺激已然不具反應，整個人像被自己的一片天地裹住般，縱使闔著眼，嘴角仍浮現那若隱若現的滿足笑容。「她在歸途中，」看護人員這麼說：「過不了多久，她就會到達那兒了。」三天後，巴嘉罕蒂離開了人世，或者該說，她完成了前往印度的旅程，落葉歸根了吧？

那段擁有狗鼻的時光

我走進診所，像狗一樣地抽動鼻子，
在我還沒有看到人之前，我已經嗅出來，
有二十個患者在那兒。
每個人都有其味道上的面貌，一張味道的臉，
這比任何視覺上的臉孔更鮮明、
更容易讓人想起，也有更深的意涵。
我能聞出人們的情緒：恐懼、滿足、性慾高漲，就像狗一樣靈敏。

史帝芬，二十二歲，醫學院學生，因為嗑藥（古柯鹼、粉狀麻醉劑，主要是安非他命）而處於亢奮狀態。

他晚上做夢，夢境歷歷如真，夢到自己變成一條狗，在一個超乎想像，充滿了各種味道，而且味道意義非凡的世界（水的味道是快樂……石頭的味道是勇敢）。醒來之後，他發現自己正處於這樣一個世界：「就好像我過去是完全的色盲，卻突然發現自己置身於一個色彩繽紛的世界。」事實上，他連對於色彩的視覺能力都增強了（「以前，我看起來只有一種棕色的地方，現在我可以辨認出十幾種棕色。我用皮包起來的書，以前每本看起來都差不多，現在每一本都可以分得出色調不一樣。」）

同時，他的視覺認知能力與記憶力也戲劇化地增強了（「我以前不會畫畫，我沒辦法在心中『看見』東西，如今卻好像心裡有台照相機。我『看得見』每一樣東西，它們就好像投射在紙上一樣，我只要把我看到的東西的輪廓畫出來；我也突然可以畫出最精確的解剖學圖。」）

嗅覺像狗一樣靈敏

不過，真正改變他的世界的，則是如潮湧般而來的味道：「我夢到自己是一條狗，這是一個嗅覺的夢，而我卻真的在一個味道多得聞不完的世界裡醒來。在這個世界裡，其他感官能力再強，跟嗅覺比起來，還是略遜一籌。」隨著這一切而來的，還有某種顫動、急切的情緒，以

及一種無名的鄉愁，猶如在一個失落的世界裡，彷彿想起，又不太記得的鄉愁。❶

「我走進了一間香料店，」他繼續說：「我的鼻子向來不甚靈光，但現在卻可以馬上分辨出每一種味道。我發覺每一種味道都很獨特，而且都會勾起我的回憶，自成一個完整的世界。」

他發現自己可以從味道來辨認他的每個朋友，還有父母。「我走進診所，像狗一樣地抽動鼻子，在我還沒有看到人之前，我已經嗅出來，有二十個患者在那兒。每個人都有其味道上的面貌，一張味道的臉，這比任何視覺上的臉孔更鮮明、更容易讓人想起，也有更深的意涵。」他能聞出人們的情緒：恐懼、滿足、性慾高漲，就像狗一樣靈敏。他能透過嗅覺認出每條街道、每家商店。他能靠著嗅覺逛遍紐約，完全不會迷路。

他經驗到了某種想要去聞、去碰觸每樣東西的衝動（要等到我摸了、聞了，東西才會有真實感），不過有別人在場時，他得強忍住這樣的衝動，免得不禮貌。性的味道變得更加刺激而

❶類似的狀況——為異常的情緒；有時出現似曾相識的感覺及「記憶重現」，同時伴隨著強烈的嗅覺幻象，這是典型的「鉤型癲癇」發作，是一種顳葉痙攣的現象。傑克森大約在一個世紀以前，首先描述到這類症狀。一般來說，病情會局限在某一部分，不過有時會出現嗅覺整個強化的狀況，成為過度嗅覺。從演化的角度來看，屬於遠古時期的「嗅腦」，在功能運作上，與整個邊緣系統有關。醫學界已經愈來愈了解到這部分的系統，是決定和操控整個情緒「基調」的關鍵。這個系統若是受到激發，無論是經由什麼方法，都會產生高亢的情緒和感官知覺的增強。貝爾對這整個主題，以及所衍生出來的問題，有詳盡的探討。

強烈，但他覺得，這樣的味道還比不上食物的味道，和其他某些味道。例如，「快樂」的味道就很強烈，「不高興」的味道也是。但這些味道對他的意義，比較不是單純的快樂或不快樂，而更多是包圍著他的全面感受、整體判斷與完全嶄新的意義。

「這是個全然具體的世界，」就是一、二就是二，」他說：「這也是個全然直接的世界，是什麼就是什麼。」以往他是很理性的一個人，喜歡沉思，思考抽象的問題；但現在他發現，當每一次都經驗了那麼強烈而立即的感受時，思考、抽象或者分類，變得有點兒困難，而且不真實。

毫無徵兆地，三個禮拜之後，這種強烈的改變停止了。他的嗅覺和所有感官的感覺都回復原樣；他帶著幾許失落感，但也鬆了一口氣，回到了往日那個蒼白、感受微弱、不具體又抽象的世界。「我很高興回復原狀，」他說：「但這也是個重大的損失。我現在也體驗到了，身為文明人，我們放棄了哪些東西。那些所謂『原始』的能力，也是我們需要的。」

聞不盡的各種味道

十六年過去了，做學生的日子，年少輕狂的日子也早就逝去無蹤。他再也不曾發生過一點點類似的狀況。史帝芬如今是個成就不凡的年輕內科醫生，是我在紐約的一個朋友兼同事。他不曾後悔、有時候還會有點懷念：「那個嗅覺的世界，那個充滿味道的世界，」他會歎道：

「是那麼生動、那麼真實！就像到了另一個世界，一個完全感官的世界：豐富、充滿活力、自給自足、沒有缺憾。真希望可以偶爾回到那個世界，再當一條狗！」

佛洛依德有幾次寫到，人的嗅覺是「早夭」的官能，在成長與文明化的過程中，嗅覺因為人採取直立的姿勢，而且刻意壓抑原始、未進化的性能力而受到壓制。嗅覺能力特別（且是病理性）的增強，的確在性倒錯、戀物癖，以及一些變態或倒錯的病例中曾經出現過。❷

但是這裡描述的嗅覺大開，似乎是更廣泛性的，雖然也引起興奮（可能是安非他命的效用），卻與性慾沒有特別的關係，也跟性倒錯沒有關係。類似的嗅覺過度敏銳，有時是陣發性的，可能在體內多巴胺升高的興奮狀態下出現，就像某些使用了左多巴的腦炎後病人，以及一些妥瑞氏症患者都可能會有這樣的現象。

我們在此所見的，是抑制作用的無所不在，即使在最基礎的感官層次下所見，亦是如此：海德認為原始、充滿感覺調子的能力，所謂的「原始感覺」，之所以需要被抑制，是為了讓複雜、分類性、不帶情緒的「精細感覺」能夠出來。

抑制這些能力的需要，不能完全化約成佛洛依德的理論來解釋，也不應當賦與英國詩人布雷克式的誇張解釋或浪漫意義。或許就像海德所指的，我們需要壓抑這些感覺，才能成為人，

❷這一點布利爾談得非常仔細，並且與大型動物（如狗），以及「野蠻人」和孩童的嗅覺世界中，那種充滿了味道、強烈的感覺做了對照。

而不是一條狗。❸不過，史帝芬的經歷，讓我們想到卻斯特頓的詩〈魁斗之歌〉，有時候，我們需要做隻狗，而不是當個人：

他們並非沒有鼻子
夏娃的墮落之子……
喔，因為水的味道如此快活，
石頭的味道如此勇敢！

後記

我最近遇到了跟這個病例同出一系的案例：一位很有天分的年輕人，因為頭部受傷的後遺症，嚴重損害到他的嗅徑（嗅徑延伸橫越顱前窩神經系統，非常脆弱），完全失去了嗅覺。

對這樣的後遺症，他既震驚又沮喪：「嗅覺？」他說：「我從沒把它當一回事。你通常不會去想到你的嗅覺。但是當我失去它，就像失明了一般。生命的風味消失殆半。一般人不會了解嗅覺跟『風味』的關係有多大。你聞到人、聞到書、聞到這個城市、聞到春天的氣息，可能是不知不覺，但是嗅覺卻在不自覺中豐富了每一件事情的背景。我的世界在轉眼間變得極端的貧乏。」

這裡頭有失去嗅覺最深刻的感受，切切的企求，深刻地渴望嗅覺再現：盼望能再記起嗅覺世界是什麼樣子，這是個他過去不曾留意的世界，但如今感覺到那是生命最基礎的部分。後來，幾個月後，讓他又驚又喜的是，他最愛的晨間咖啡，本來已經變得索然無味，竟開始有了香氣。他以試探的心情，吃了一塊好幾個月沒吃的派，同樣地，聞到了他最喜歡的那股濃郁的味道。

咖啡在記憶中飄香

他雀躍萬分地回去找醫生，那位神經科醫生認為他不可能痊癒了。然而，在「雙盲」的情境中對他進行了檢查之後，他的醫生卻說：「我很抱歉，沒有復原的跡象。你的嗅覺還是完全失去作用了。奇怪的是，你現在竟然會『聞到』派和咖啡的味道……。」

會發生這樣的事情，值得注意的是，他只有嗅徑受傷，並沒有傷到大腦，是腦部產生了加深的嗅覺想像，幾乎可以說是一種受到控制的幻覺。以致當他喝咖啡或咀嚼派時，自然而然跟早先儲存的嗅覺記憶聯結在一起。他現在已經能夠不自覺地激發或再激發這樣的記憶，而且產生出來的感覺如此強烈，讓他一開始會覺得那是「真的」。

這樣的力量——半有意識、半無意識的——已經愈來愈強烈且擴大了。現在，舉例來說，

❷ 見米勒在《聆聽者》期刊（一九七〇年）一篇名為〈皮膚下的狗〉的評論文章。

他抽動鼻子，就能「聞到」春天的味道。至少，他喚醒了嗅覺的記憶，或者嗅覺的意象，而且是很強烈的。他幾乎可以讓自己、也可以讓別人以為他真的聞到味道了。

我們知道，像這樣的補償作用常發生在視障者與聽障者身上。想想耳聾的貝多芬，以及失明的美國歷史學家普萊斯考特。不過，我卻不知道失去嗅覺的人是否也普遍有這樣的現象。

第十九章

謀殺者

曾一度在記憶中消失的罪行，

現在以近乎幻覺的細節，

生動地呈現在他眼前。

失控的記憶直衝而上，將他淹沒。

他不斷「看見」謀殺的事，

一次又一次地看著它上演。

這是惡夢，抑是發狂。

在天使塵的迷幻藥力下，唐納殺害了他的情人。他不記得，似乎是記不得自己做過這件事，即使加以催眠或用上巴比妥鹽，也無法讓他透露什麼。因此，在審判上他所得到的判決不是記憶壓抑，而是有器質性的失憶症——使用天使塵所造成的記憶喪失，這的確是常聽到的。

鑑定精神狀態的細節是可怕的，因此不能在公開法庭上進行。他們採用禁止旁聽的方式討論案情，因此，一般民眾與唐納本人都不得入內。他們拿顳葉或精神運動性癲癇期間，偶爾會犯下的暴力行為做比較。這類患者記不得自己的所作所為，而其暴力行為或許也是無意的，犯下這種暴行的人，不會被認為有責任或有過失，但仍會因其自身與旁人的安全考量而受到監禁。這就是不幸的唐納的遭遇。

無論他究竟是犯了罪或是精神錯亂，他為精神失常所犯下的罪行付出代價，在精神病醫院待了四年。他用一種釋懷的心情面對監禁。懲罰的感覺也許是他樂見的，而無疑地，隔離也讓他得到些許安全感。「我不適合生活在社會上。」別人問他時，他會語帶哀愁地這麼說。

為了防止突如其來又具危險性的失控——基於防衛，也是為了獲得平靜，他一頭栽進一向感興趣的植栽。這個興趣深具建設性，又可遠離人群關係與活動的危險地帶，因而受到他所監禁的醫院鼓勵。他接手荒蕪、乏人照料的庭院，整理出花園、菜園和各式園藝。他似乎達到了一種收斂節制的精神安定狀態，先前有如狂風暴雨的那種人際關係與人性情慾，已被一種陌生的平靜所取代。有人把他視為精神分裂，有人認為他其實心智健全；倒是每個人都認為他已達到某種程度的穩定性。

記憶衝出禁錮的藩籬

到了第五年，唐納開始以假釋的形式外出，被允許在醫院外度週末。他曾是個鐵馬迷，這時他又買了輛自行車。然而，就是這玩意兒促成了他第二個怪異的經歷。

他在一個陡坡盡情往下疾踏，一輛車子突然冒冒失失地從一個看不見的轉彎處，迎面衝撞而來。他將把手一偏，想逃離正面的碰撞，卻失了控，猛地被拋出，頭先著地地撞上路面。他的腦部受了重創，兩側的腦硬膜都出現了大塊的血腫，立刻被施以外科手術抽出、排除掉。他的一對額葉也嚴重挫傷，幾乎有兩週時間，他昏迷不醒、半身不遂地躺著；接著，出乎意料之外，他逐步康復；但「夢魘」卻由此正式展開。

這個失而復得、重見曙光的知覺一點也不可愛，而且被驚悚駭人的震撼與混亂四面包夾。半清醒狀態的唐納似乎不顧一切地掙扎，且不停地哀號：「噢，上帝！」和「不！」隨著他的意識更加清楚，記憶、全部的記憶，此刻已成恐怖的回憶隨之而現。

他有幾處神經上的問題，如左側軟弱麻木、癲癇、額葉功能缺陷。因為這樣，尤其是最後一個問題，導致了全新的狀況。他犯下的謀殺，曾一度在記憶中消失的罪行，現在以近乎幻覺的細節，生動地呈現在他眼前。失控的記憶直衝而上，將他淹沒。他不斷「看見」謀殺的事，一次又一次地看著它上演。這是惡夢，抑是發狂，還是此刻「記憶增強」了！那道真誠、不作假、高高築起的記憶藩籬被衝破了？

他被仔細地盤問，在詢問的過程中，詰問者極盡所能地避開任何的暗示或聯想，但很快地就弄明白了，他此刻的描述，儘管如脫韁野馬般，還是一齣真實的記憶重現。他清楚謀殺過程裡任何一個細節，那些細節只在精神鑑定過程中被提到，從未在公開法庭或對他本人透露過。

這一切曾在，或似乎曾在早先失落或被遺忘了的，甚至催眠或注射巴比妥鹽都喚不回的，此刻又回復過來，且隨時可叫喚出來。不只如此，回復的記憶已不受控制；更糟的是，簡直讓他無法忍受。他兩度在神經外科部門試圖自殺，最後不得不施以強力的藥物讓他安靜下來，並將他施以強制監禁。

究竟是哪裡出了錯？

唐納究竟遭遇了什麼事，此刻發生在他身上的，又是怎麼回事？發生在他身上的，不是突發的精神異常幻想，因為他重現的記憶歷歷在目，都是真的發生過的。即便是完全的精神異常幻想，為什麼是在這個節骨眼上，隨著腦傷，一下子就出現了，完全沒有前兆？

他的重現記憶中，多了一種精神病的，或近乎精神病的狀態，按照精神病學的說法，那是一種極端或者伴隨過度感情的情況，這種情況嚴重得令唐納不停地想自殺。但到底什麼才是這種記憶正常該有的情感貫注？是這種從完全失憶中突現，非某種曖昧的戀母情結的掙扎或犯罪意識，而僅僅是一件真實謀殺的過程嗎？

有無可能是因額葉的完整性喪失了，以致失去了基本的壓抑機制？我們當下所見的，是否正是一種突乎其來、具爆發性、又特別的「去壓抑作用」？在這之前，不曾聽聞過有類似的狀況，倒是大家都相當熟悉一般額葉症候群所產生的抑制解除，其症狀是衝動、動作滑稽、聒噪、淫蕩好色、放縱不羈、冷漠不在乎、出現俗不可耐的本我。

但上述這些個性無一與他吻合。至少他不衝動，具選擇力，沒有不適宜的舉止。他的個性、判斷力和一般的人格依舊如常。此刻是那獨一無二、有關謀殺的記憶和感受，無從控制地迸出，折磨著他。

是否有某種興奮的物質或癲癇性因素牽涉其中呢？關於這個問題，腦波圖的研究就相當有趣了，因為很明顯地，當使用特殊（鼻咽）電極試驗時，除了偶發的癲癇大發作之外，他的兩葉側顳還會有不停息、強烈的癲癇在作祟，而痙攣點往下延伸（這僅是臆測，還需要植入式電極才可證實）到海馬迴鉤、扁桃體和大腦邊緣系統上。而顳葉上所分布的，正是深密的感情神經迴路。

潘懷德和培洛在一九六三年的《腦》雜誌上報告，某些顳葉癲癇的病患會有周期性反覆的

「記憶重現」或「經驗幻覺」，但大部分潘懷德所描述的經驗或回憶該算是屬於消極的——聽見音樂，看見景象，或許會身歷其境，但自己都是當個觀眾，而非主角。⓫

我們沒人聽過此類病人會再一次經歷，或者，確切地說，是再次演出某一種行為。但擺在眼前的是，它的確發生在唐納身上。為何會如此，迄無定論。

工作與愛是最好的治療

故事至此已接近尾聲。年輕、幸運、時間、自然痊癒的能力、受傷前的良好體質，再加上對額葉「替補」的盧力亞氏治療法，讓唐納在這些年來有著長足的復元成績。額葉已幾乎回復正常。在使用了近幾年才問市的抗痙攣藥後，已有效地控制住他作怪的顳葉。在這裡，自然復元的作用，可能也分擔了部分的角色。

最後，再接受善解人意的正規精神療法，唐納自責的超我、懲罰性的激情已緩和，尺度和緩的自我，現在當家了。但最後、最重要的事情是，他又回歸園藝了。「園藝的感覺平和，」他對我說：「沒有衝突，植物不會有主觀意識，它們無法傷害你的感情。」最終的治療就是佛洛依德所說的，工作與愛。

唐納對謀殺的事並未忘記，或是再壓抑。如果說當初壓抑作用千真萬確曾發生過的話。但他已不再受謀殺事件的糾纏：一種生理學上與道德上的平衡已然生根。

但起初失去、後來又回復的記憶，究竟是怎樣的狀態？為何會在失去記憶後，又突然爆發式的回復呢？為何記憶之火完全熄滅之後，又能濃烈眩目地重燃而起？這齣詭異、半神經病學的戲碼，真正的劇情究竟為何？所有的疑問，至今仍舊神祕無解。

❶ 然而，這也不是一成不變的。潘懷德曾記錄過一個異常例駭人的可怕案例。一名十二歲的女孩，每一次發作就覺得自己是瘋狂地跑著，想逃離一個正追逐著她的凶惡男人，那人手中拿著一袋蠕動的蛇。這個經驗幻覺，是五年前一次可怕真實事件的逼真重現。

第二十章 希德格的異象

我所看見的光並不固定，
但比白日更明亮；我稱它為「活光之雲」。
有時候，我在此光中還看到一光，
我稱之為「活光之光」。
當我仰望它的時候，
所有的憂愁、痛苦都消失，不復記憶，
我又再度成為一個單純的女孩，
而不是一名老婦人。

每個時代的宗教文獻，都充滿了對於「異象」的描繪。在其中，崇高難以言喻的情感，伴隨了燦爛榮耀的經驗（詹姆斯的說法是「光義性」）。我們無法確定，在這麼多的例子中，這樣的經驗到底是歇斯底里的狀態，或者心靈狂喜、極度興奮之下的結果，還是類偏頭痛的發作所引起的。

唯一的特例，是在賓根的希德格這個病例。她是一名修女，具有神祕的過人聰慧與文學涵養。她從幼年時期開始，一直到她辭世，經驗到無數的「異象」，並且留下了大量的文字敍述與圖畫，描述她所見到的。這些都收錄在兩大卷手稿裡，流傳至今。它們被稱為「神聖工作之書」。

仔細審視這些文字和圖畫，讓人對它們的本質無所懷疑：它們無疑地都是由偏頭痛造成的，並且呈現了許多早先提到的頭痛視覺前驅症狀。辛格一九五八年在一系列探討希德格異象的文章中，選擇了下列最具代表性的幾幅圖畫：

在所有圖畫中，最顯著的一項特徵，是一個光點或一組光點，這些光點通常以波浪狀閃爍移動，而最常見的詮釋是星星或閃爍的眼睛（見圖B）。不少例子當中，有一道光，比其他的都大，發散出一連串同心圓的波浪形狀（見圖A）；城牆狀界限明確的圖素也常出現，在某些例子當中，它們從一個有顏色的區域向四周伸展開來（見圖C、D）。通常光芒在許多看見

幾個希德格異象圖所表現出來的偏頭痛幻象。在圖A，背景是閃耀在波浪狀、集中線條之上的星星。圖B，一陣燦爛的星雨（光幻視）掠過而消滅，這是連續的負性明點與負性暗點。圖C、圖D，希德格畫出標準偏頭痛性的城牆圖案，從一個中心點伸展出來，在起點的地方是燦爛的光芒與顏色。

「上帝之城的異象」。錄自希德格一一八〇年在賓根所寫的手稿。這幅圖畫是從因偏頭痛所引起的幾個視覺現象組合而成的。

異象的人的描述中，是帶著做工、沸騰、發酵的印象……

充滿想像的詮釋

希德格自己寫道：

我看見異象的時候，既不是在沉睡中，也不是在做夢，更沒有發瘋，我並非以俗世的眼睛看見、肉體的耳朵聽見、也不是在隱藏之處見到異象，我的神智清楚，以屬靈的眼睛看、以內在的耳朵聽，在大庭廣眾之下，按著上帝的旨意領受。

其中一幅異象，描繪星星墜落、熄滅在大洋中（見圖B），代表了「天使的墮落」：

我看見一顆最璀璨、最美麗的巨星，其後有無數墜落的星子，跟隨巨星往南沉沒……突然之間，它們都熄滅了，變成了黑色的煤炭……被拋棄於無盡的深淵中，再也見不到蹤影。

這就是希德格寓言式的詮釋。而我們以其字面所作的解釋判斷，則是她經驗了一陣光幻視掠過其視覺區域，隨後在同樣的路徑上，出現了負性暗點。她所見的城牆圖案在圖C與圖D，都是從一個燦爛的光體，以及（根據原圖）閃耀、色彩繽紛的點伸展出來。這兩幅異象，合併到那一幅集大成的異象（第二幅圖像）裡，對這個圖像，她的解釋是「上帝之城」。

極度的狂喜，會使這樣的經驗添上一層奇幻的色彩，尤其是在極少的情況下，當原先的閃光之後，出現第二次的負性暗點時，更憑添這樣的色彩：

我所看見的光並不固定，但比白日更明亮；我也無法察看這光究竟有多高、多長、多寬，我稱它為「活光之雲」。就像日光、月明與星光反映在水上，人所寫、所說、所行、所做的，也都從其中閃耀於我眼前……

有時候，我在此光中還看到一光，我稱之為「活光之光」……當我仰望它的時候，所有的憂愁、痛苦都消失，不復記憶，我又再度成為一個單純的女孩，而不是一名老婦人。

令人沉醉的一刻

心中狂喜，充滿了宗教火熱與形而上的意義，希德格的異象猶如一盞明燈，指引她朝向神聖而神祕的生命。它們提供了一個獨特的例子，讓我們看到某樣對大多數人而言是平凡、討厭或無意義的生理狀況，也能成為令人興奮不已的心靈啟示。說到這個，就不能不將杜斯妥也夫思基拿來相提並論。他的癲癇症時常發作，但他卻甘之如飴，視之為意義非凡的時刻：

那些時刻，只是五、六秒的光景，你卻能從中感受到永恆的和諧……可怕的事情是，在這短短的時間內，它所顯示的那種驚人的清晰度，以及充滿在你裡面的那種銷魂的感覺。如果這種狀況持續超過五秒鐘，靈魂將無法承受，而必須消失。在這五秒鐘之內，我活過了整個人類的存在，而為了擁有這樣的時刻，我願意奉上整條命，也不會覺得代價太高。

第四部

心智簡單者的世界

一個人可能智商很「低」，
例如，沒辦法把鑰匙插入門孔，
更不會了解牛頓的運動定律。
那個稱之為「概念」的世界，更完全非他所能理解，
但他卻完全能夠以具象、以象徵去理解這個世界。
這就是人的另外一面，完全極端的另一面——天生的單純。

導言

上帝的兒女

幾年前，我開始從事智障者的醫療工作時，我想日子一定不好過，便寫信將這樣的想法告訴盧力亞。出乎意料地，他的回信通篇都是正面的話；他告訴我，沒有別的病人比智障者更讓他覺得「親近」，而他認為，他在智障中心所度過的那些時日，是整個行醫生涯中最動人、也最有趣的一段時間。在他第一本臨床傳記《兒童語言與心智運作之發展》的序言中，也表達了類似的情感：「如果一位作者有權利表達對自己工作的感覺，我必須說，在這本小書中所記載的那些對象，永遠讓我心懷暖意。」

盧力亞所言的「心懷暖意」是什麼意思呢？很清楚地，是表達某種充滿情感的個人感覺。如果那些有缺陷的人無法「回應」（無論他們智能上的缺陷為何），如果他們本身不具有真實的感覺、情感和個人的潛能，盧力亞不可能有這樣的感受。不過事實不只如此。盧力亞所表達的，還包含了對科學的興趣，即某些他認為在科學上值得一探究竟的事。那會是什麼？該是在沒什麼趣味的「缺陷」或「缺陷學」之外的一些東西吧。那麼在這些心智簡單者的世界中，又有什麼值得玩味之處呢？

這與人的心智保存，甚至增強的特質有關。因為有這樣的特質，所以即使智障者在某方面有「心智上的缺陷」，他們在其他方面的心智表現可能仍然很有趣，甚至還是相當完整。智力之外的心智能力——這是我們特別可以從這些智力簡單的人身上探究得知的（就像我們也可以從小孩子與「野蠻人」身上看到的一樣。雖然，就像葛之一直強調的，不能把他們等同視之：未開化的人，既不是智力不足，也不是小孩子；小孩子並未身處野蠻文化；而智能不足者，既不是小孩子，也不是未化之民）。不過他們是有些重要的相關之處——從兒童心理學家皮亞傑所揭開的兒童心智世界，到李維史陀所談的「野蠻的心智」，都以不同的形式等著我們，去發掘智能不足者的心智與世界。❶

眼前所要研究的，既使人愉快，也有益於我們的智識，而且特別讓人充滿盧力亞的「浪漫科學」的心情。

❶盧力亞所有早期的工作都與這三個領域有關，他在中亞的原始部落觀察當地的兒童，在缺陷學中心做研究。而這些研究、觀察，開啟了他一生對於人類想像力的探索。

以具象理解這個世界

智力簡單的人，他們的心智特質是什麼，為何他們如此無知、坦蕩、完整而有尊嚴呢？這樣獨特的特質，使我們必須論及智力簡單者的「世界」（就像我們談論小孩子或未化之民的「世界」一樣）。

如果一定要用一個詞來形容，那應該是「具象」。他們的世界是鮮明、強烈、絲縷畢見的，但同時又很簡單，一就是一，二就是二，因為那是個具體的世界：既不複雜、模稜兩可，也不受抽象概念的整合。

由於對自然秩序某種倒錯或顛覆的想法，神經學家通常認為具象不是件好事：不足為道，沒有一致性，是一種退步。所以對葛史汀而言，心智、人的榮耀，全在於人能抽象思考，以及人有分類的能力。他認為，腦部受損的影響，不管是什麼樣的狀況，就是讓人不再具有這高層次的能力，降格在次人一等，只能具象思考的泥淖中。以葛史汀的話來說，如果一個人失去「抽象分類的態度」，或者用傑克森的形容，無法做「前提性的思考」，他只是個近似人類的人，不重要、也不值得一顧。

我稱這樣的看法是倒錯的，因為具象的能力也是不可或缺的，有這樣的能力，才能使事實「成真」，成為活的、有個性的、有意義的事情。沒有了具象的能力，這些都不存在。這種情況就如同前面所見，那位好像火星人的皮博士一樣，「錯把太太當帽子的人」，從具體跌入抽象的谷底中（剛好跟葛史汀所說的相反）。

更容易了解，也更自然的想法，是受傷的腦部依然保有具象的能力，這並不代表退化，而代表一種自保，好使那位受傷者，仍然保有人格、自我與人性，使他仍然能夠成為一個人，活在世上。

這就是我們在查契斯基這個「活在分崩離析世界裡的男人」身上所見到的。他仍然是個人，實實在在的一個人；儘管無法抽象思考，不會做假設，還是具有身而為人該有的一切分量與豐富的想像力。在此，盧力亞雖然支持傑克森與葛史汀的論點，卻也同時將它們的重要性做了一百八十度的大翻轉。在其筆下的查契斯基，一點也不是傑克森或葛史汀所言的廢物，而是一個活得完全像人的人，一個有感情、有想像，在這方面甚至比常人更勝一籌的人。他的世界不同於書名，絕非分崩離析——雖無法整合抽象的事物，卻是個異常豐富、深刻而具體的現實世界。

我相信這一切也同樣適用於心智簡單之人，而且可能還有過之，因為他們自始就是這麼單純，從來不知道抽象為何，抽象對他們也毫無吸引力，他們所經驗的永遠都是直接、沒有加油添醋的事實，既實在、又強烈無比。

展開浪漫的科學旅程

我們發現自己進入一個既迷人、又惱人的領域，所有的事物都環繞在「具象」的雙重意義上。特別對於醫生、醫療人員、老師或科學家而言，我們被邀請（可說是被迫）踏上對於具象的探索之旅。這就是盧力亞所言的「浪漫的科學」。包括盧力亞的偉大行醫自傳或「小說」，實際上正是對於具象的探索：像是腦部受傷的查契斯基所保有的，特別在面對現實時的具象能力；還有在「記憶大師」的「超級腦袋」中，被過度誇張，以至於失去現實的具象能力。

在探討具象能力時，古典的科學完全派不上用場，因為神經學與精神學根本就將之視為不值一提的能力。這得需要「浪漫的」科學賦與它該有的地位，才能去欣賞它的力量……和危險。在簡單之人的世界中，我們是直接面對具象，單純而簡單的具象，毫不保留地迎面而來。

具象可以打開門，也可以把門關上。它可以成為通往感覺、想像和深度的一扇門戶；要不，它也可以使擁有這個能力（或被控制）的人，身陷沒有意義的雞毛蒜皮事當中。當具象的能力在智力簡單之人身上擴大時，我們可以看到這兩個潛在的可能性。

具體的想像與記憶力增強，原本是大自然為那些在概念與抽象能力上有缺陷的人提供的彌補，卻也可能朝著完全相反的方向發展：變得緊緊抓住瑣碎的事情不放，發展出一種視覺記憶存留不去的想像與記憶力，以及表演者或「機靈小子」的心智狀態（就像「記憶大師」身上所發生的，還有古時候過度培養的具象「記憶術」）。我們在馬丁（見第二十二章）、荷西（見

第二十四章）及雙胞胎（見第二十三章）身上看到這種傾向。尤其是雙胞胎，因為表演的需要，再加上他們自己也身陷其中，好出風頭，這樣的能力就被過度強調了。

然而，更令人感到興趣、更人性、更「真實」動人之處，是這些簡單之人對具象能力的正確使用與發展。在這方面，科學界的研究，卻常常視而不見（雖然善解人意的老師和父母很快就注意到了）。

簡單卻見深邃

具象的能力同樣也能成為一種媒介，傳達神祕、美麗與深度；可以是一條通往感情、想像與靈性的道路，其圓滿的程度，不下於抽象的概念（或許還要更豐富，修倫在一九六五年對「概念性」與「象徵性」所做的比較，或者布魯納在一九八四年對照「典範性」與「敍事性」之間的差異時，都提出這樣的觀點。）具象本身已然充滿了感情與意義，或許，比任何抽象的概念更直接。它直朝著美學的、戲劇的、喜劇的、象徵的，也就是藝術與靈性世界的長闊高深而來。

從概念上來看，心智不足可能是缺陷，但從他們對於具象與象徵意義的理解力來看，他們可能跟任何一個「正常」人同樣正常（這是科學，也是傳奇故事……）。對這一點，沒有人比齊克果在臨終之前所寫下的更美：「平凡的人哪（我稍微改寫了他的話）！《聖經》的比喻是無限的高深……但它的高深無關智慧高低，也不在於誰比誰更具智慧……不，它是為所有的人預備的……所有人都能達到那無限的高深境界。」

一個人可能智商很「低」，例如，沒辦法把鑰匙插入門孔，更不會了解牛頓的運動定律。那個稱之為「概念」的世界，更完全非他所能理解，但他卻完全能夠（應該說是充滿了天賦）以具象、以象徵去理解這個世界。這就是人的另外一面，完全極端的另一面——天生的單純，就像在馬丁、荷西與雙胞胎身上所見的一般。

或許有人會說，他們只是特例、非常態的。所以我在這最後的一部分，由麗百嘉開始，一個完全「平庸無奇」的年輕女性，一個心智單純的人；十二年前我探視過她，至今想起，仍然心懷暖意。

第二十一章

表演中生命再現

我們讓她進入一個特別的劇場團體，
她很喜歡這個安排，而且表現優異：
她變成了一個完整的人，
在所扮演的每個角色中，
有模有樣，流暢優雅。
現在如果有人看到台上的麗百嘉，
絕不會想到，她過去是個心智有障礙的人。

麗百嘉被轉到我們診所來的時候，已經不是小孩子了。她那時十九歲，但就像她祖母說的，「在某方面還像個小孩子」。她稍微走遠一點就會迷路，總是不大會用鑰匙開門（她永遠搞不清楚鑰匙該怎麼用，也老是學不會）。左右不分，有時衣服的裡面穿到外面，或是後面穿到前面，卻不知道穿反了；即使知道，但也不曉得該怎麼改正過來。她可能會為了將手或腳塞進不對的手套或鞋子，而搞了好幾個鐘頭。

她似乎，就像祖母說的，「毫無空間感」。她的樣子笨拙，手腳動作都不協調。一個「呆頭呆腦的人」，一份報告上這麼寫著，另一份報告則寫著「運動低能」（雖然當她跳舞的時候，所有的笨拙樣子都消失了）。

麗百嘉還有部分先天性顎裂，講話會漏風；外加五短肥胖的手指，光禿變形的指甲；以及高度退化性的近視，需要配上一副鏡片很厚的眼鏡，這些都是同一個先天體質造成的特徵，該體質又造成她腦部、心智上的障礙。她非常害羞而退縮，覺得自己是一個「笑柄」，而且一直都是。

但她卻擁有溫暖、深刻，甚至可說是強烈的愛的能力。她深愛她的祖母，祖母從她三歲起就撫養她成人（當時她因雙親過世而成為孤兒）。她熱愛大自然，有機會到公園或植物園時，會在那兒很快樂地一待就是好幾個小時。她也很愛聽故事，雖然學不會識字（她曾經很努力，甚至是狂熱地想學，但徒勞無功），還是會央求祖母或其他人唸給她聽。「她對聽故事的胃口大得很，」祖母說。幸好祖母也愛讀故事書，而且唱作俱佳，讓麗百嘉著迷得不得了。不只是故事，詩也一樣吸引她。

這似乎是麗百嘉心中很深刻的需要，就是一種滋養心靈必要的形式。自然雖美，但是無聲；那是不夠的。她需要這個世界透過口語的描述、透過語言，重新呈現在她面前。她可以毫不費力地理解一些艱澀詩作中的意象和象徵，造詣之高，與其無法理解一個簡單的假設或指令，成了鮮明的對比。

表達感情、具象或象徵的語言，構成了她所愛的世界，可以令她優游其中。雖然她對概念性的觀念（包括前提性的）毫無辦法，碰到詩的語言卻十分自得，其實她自己也是個「原始的」、渾然天成的詩人，詩作充滿了力道而且感人。隱喻、語言的意象、非常相似的事物，自然而然就出現在她心中，只不過出現的時間不一定，可能突然詩興大發、意象橫生。

充滿靈性之美

她的祖母是個虔誠而安靜的人，麗百嘉也是如此：她喜愛安息日的燭光，貫串猶太聖日的祝福與祈禱，也喜歡上會堂去，在那兒大家都愛她（將她視為上帝的孩子，一個天真而聖潔的愚人）；她能完全領會教會崇拜的儀式、聖詩、祝禱的意義。

這些對她而言，都是可能的、能夠心領神會的，也深受她的喜愛，可以超越知覺與時空上的障礙，以及每樣系統性能力的嚴重缺憾，像是無法數算零錢，連最簡單的算術都會難倒她；她也永遠學不會讀書寫字，IQ測驗的分數都在六十分左右，或更低（雖然語言部分的成績，比實際演算的部分要高出許多）。

所以，雖然從她出生到現在，一直是大家眼中、口中的低能兒、傻子或笨蛋，卻擁有出人意料、感人至深、詩人般的能力。從表面上來看，她是個重度智障、低能的人，在這方面多受挫折與折磨；她是這個層次上心智「不良於行」的人，她自己也這麼認為，因為對別人來說毫不費力、輕鬆愉快的技巧，她卻做不到。

然而，在一些更深的層面，你感受不到她的殘障或低能，取而代之的，你感受到的是她的自如與自在，圓圓滿滿地活著，就像一個有靈魂的人一樣，有那高深的一面，與其他所有人沒什麼不同。在智能上，麗百嘉感受到自己的不足，但是在精神上，她覺得自己是個完整、完全的人。

第一次見到她的時候，她的樣子笨笨的、怪怪的，手腳動作不靈光。在我眼中，她只是一個上帝不小心、沒創造好的生命，從她身上可以找到神經功能損傷的地方，並予以精確的分析：她患有多重的精神性運動不能與辨識不能症；她的感覺運動受損且失去作用；智能發展也有限，根據皮亞傑的標準，她對事物的概念差不多等於一個八歲的孩子。

可憐的孩子，我告訴自己；只有語言算得上是她在諸多平庸表現中較為突出的能力，這或許是上帝賦與她的奇異恩典吧！而那也只不過是一團大腦功能的拼湊之物罷了。至於皮亞傑分類下所指的心智功能，她幾乎是完全付之闕如。

再一次看到她，情況卻全然改觀。我沒有對她做測驗，沒有在診所裡「評估」她。當時正值美好的春天，我信步走到外面，在開診之前偷得幾分鐘閒暇。就在那兒，我看到麗百嘉坐在長椅上，靜靜地看著四月的花草，神情十分愉快。上一次她讓我印象深刻的那副笨拙樣，這時全然看不到。

她坐在那兒，穿著一件淺色的洋裝，神色安祥，微微綻放笑容，那模樣，讓我想起契訶夫小說中的少女——愛琳、安雅、項雅、妮娜，背景就是契訶夫式的櫻桃園。她就像任何一位享受和春麗日的少女。這是我來自人性，而不是源自神經學的觀點。

萬物靜觀皆自得

當我走近的時候，她聽到我的腳步聲，轉過身來，給了我一個燦爛的微笑，以及無言的手勢。「看這世界，」她好像在說：「如此美麗。」突然，從她口中迸出一連串傑克森式、詩樣的字眼：春天、誕生、生長、騷動、復活、季節、萬物有時。我發現自己竟想起《聖經》〈傳道書〉上的句子：「凡事都有定期，天下萬物都有定時。生有時、死有時，栽種有時，拔出有時……。」這是麗百嘉在不經意之下，所發散出來的啟示——讓人看到了季節、看到了光陰，就像傳道者所做的一樣。

「她是個白癡傳道者。」我自言自語。透過這句話，我對她的兩種不同看法——白癡和寓意者，彼此相會、互相衝擊，最後合而為一。她在這一回的測驗中，成績令人激賞。這個測驗，在某方面來說，也是經過設計的，就像所有神經學與心理學的測驗一樣，不只是去發掘、去找出不足的地方，也是重新將她分解成有用與不足兩部分。在正規的測驗中，她被搞得四分五裂，但這一刻，她又神祕地「復合」，重回完整。

為什麼她從前那麼地不成其樣，而現在又為何能有模有樣？我有一種強烈的感覺，彷彿有兩套思想、兩個組織、兩個人的存在。第一套的體系，即辨別樣式、解決問題，這是過去的測驗，而她在這方面是那麼地有缺陷，那麼地不足。但是這樣的測驗卻只完全著墨在她所缺乏的，沒有一點觸及她缺陷之外所有的。

那樣的測驗，沒有任何的跡象顯示有關她正面的能力，她理解真實世界的能力。這個真實世界是一個自然、或許還包括想像的世界，是那樣一個融會貫通、心領神會、詩一般完整的世界。她有能力看到這些、想到這些、活出這樣的世界；過去的測驗讓我看不到她的內心，而那顯然是個完整而協調的世界，在其中，沒有成串的問題，也沒有完成不了的事。

不過，使她重回完整的原則是什麼（顯然是一些條理綱目之外的東西）？我想到她喜歡聽故事，講話也很有條理，不會前言不對後語。我心想，在眼前的這個人，這個既迷人，卻又是個低能、認知失能的少女，能夠藉由語言表達（或戲劇）的方式，組合成一個諧和的世界，取代系統性的理解方式在她身上的不足和不能？當我這麼想的時候，我就想起了她跳舞的樣子，舞蹈使她變得動作協調，不再有手腳不聽使喚、不靈光的情況。

璞玉渾金

看到了她在長椅上的一幕，我想，我們的測驗和方向，我們評估的方式是嚴重的不足。它們只顯出我們的缺陷，卻顯不出我們的能力；當我們需要去了解人在音樂、語言與戲劇的能力，觀察一個人在自然狀態下，顯現自然的能力時，它們卻搬出方塊拼圖和一些系統條列式的問題。

我覺得麗百嘉做為一個「敍事性」的人時，她是完整而有能力的，在容許她以敍述的方式來組織自己的狀況下，她並無缺陷；知道這一點是非常重要的，因為這會讓人跳脫系統性模式的眼光，以完全不同的方式來看待她和她的潛能。

可以說，很幸運地，我恰好看到了麗百嘉在一個完全不同模式下的樣子。一方面她的損害那麼嚴重、沒有復原的希望，而在另一方面，卻是充滿了希望與無限的可能，而她恰好又是我診所裡的第一個患者。我在她身上看到的，以及她所展露在我眼前的，我現在也在其他所有病人身上看到。

後來愈見她，愈覺得她有深度。可能也是因為她愈來愈透露出她深層的內在，或者我也能去重視它。這些內心世界並不盡然是快樂的，事實上沒有深層的事物會是如此的。不過一整年當中，快樂仍占了多數時候。

從深層哀傷中復原

但接著，在十一月時，她的祖母過世，她在四月中所表現的光明和喜悅，此刻變成了很深的憂傷與黑暗。她深陷痛苦之中，但仍表現了尊嚴。尊嚴，也就是倫理上的深度，在這時候使她變成了一個嚴肅的人，與我過去所見，那個輕快、詩般的自我，大相逕庭。

一聽到這個消息，我立刻登門探視，而她以相當自持的態度接受我的慰問，卻帶著憂傷，把自己冰封在她的小房間，在那個現在空空蕩蕩的房子裡。她的話再度迸發出來：「她為什麼一定要走？」她哭泣；接著說：「我為我自己而哭，不是為她。」接著，停頓了一段時間，她說：「奶奶沒有事。她已經回到她永遠的家。」永遠的家！這是她自己發明的意象，還是對於〈傳道書〉下意識的一段記憶？「我覺得好冷，」她一面哭，一面抱著自己。「不是外面冷，而是冬天在心裡。像死亡一樣的冷，」她接著說：「她是我的一部分。我的一部分已經跟著她死了。」

她徹徹底底地沉浸在哀傷之中，你完全不會感受到她在那個時候是「心智不足」的。過了一個半小時，她回過神來，稍稍重拾了一絲暖意與力量，她說：「現在是冬天。我覺得死了。不過我知道春天還會再來。」

她的憂傷，化解得十分緩慢，但確實是在化解之中，就像麗百嘉自己所料的那樣。一位很有愛心的姑婆，住進了她的家中，成了很大的支柱。教會與團契也幫了大忙，特別是透過某種儀式，還有她因失去親屬而得到主喪家的特別地位。而她能自由地對我談論她的哀傷，這點可能對她也有些幫助。有趣的是，做夢也成為一種幫助，她所做的夢帶給她力量，而且從夢境中，也可以看到哀傷治療的各個階段。

回憶起四月春陽下的她，讓我想到小說中的妮娜；而我記憶中的她，在陰沉的十一月天，站在皇后區一處荒涼的墓園中，以意第緒語為祖母上墳祝祭的模樣，至今仍然沉痛而清晰。禱告詞和《聖經》故事總是深深打動她，也伴著她度過快樂、充滿詩意和「幸福」的日子。而在喪禮的禱告中，吟頌著〈詩篇〉一百零三篇，尤其是以意第緒語來讀，讓她找到了唯一能夠安慰她，與她同悲、同慟的話語。

和自己的天賦在一起

在這當中的幾個月（從我四月第一次看到她，到十一月她的祖母過世），麗百嘉就像其他所有的「個案」（當時流行的一個討厭用語，他們以為這個名詞比病人要高級），在各式各樣的研討計畫課程中轉來轉去，這些都是我們「發展與認知增進」（在當時，這也是流行用語）計畫的一部分。

這對麗百嘉一點幫助也沒有，其實對大部分人都沒什麼用。我開始思索，這樣的方式是錯的，因為我們所做的，只是讓他們親眼見到自己能力的不足。在他們這一生中，這類的事已經夠多了，而且常常已經到了殘忍的地步。

我們花了太多精神在患者缺陷的事情上，麗百嘉是第一個讓我知道這一點的人，而我們太少、太少去注意他們還擁有、保有哪些能力。再掉一次書袋：我們太過關心「缺陷學」，太少用心於「敍事學」，而這正是探討具象所需要的，卻不被重視的一門科學。

藉由具象的描述，麗百嘉自己能夠清楚地表達出兩個完全不同、完全分野的思考與心智型態，一個是「典範型」、一個是「敍事型」（藉用布魯納的說法）。雖然這兩者都是人心智發展中自然而本能的能力，敍事型的能力卻較先出現，有著靈性上的優先性。小孩子很喜愛故事，也離不開故事，他們能從故事中了解複雜的事情；而在那時候，他們理解一般性概念與典型的能力，幾乎還不存在。在抽象思考無法提供任何東西的時候，只有透過敍事性的或象徵性的能力，他們才能理解這個世界，以象徵或故事的想像形式，得到一個具體的事實。小孩子在懂得「歐基里德」之前，就懂《聖經》了。並不是因為《聖經》比較簡單（可能恰好相反），而是因為它是以象徵和敍述的形式來表達。

在這方面來說，十九歲的麗百嘉，仍然如同她的祖母所言，「就像個孩子」。像個孩子，但不是孩子，因為她已經成年了。「智障」一詞就意謂了長不大的意思，而「心智不全」，則指一個有缺陷的成年人；兩種說法和概念，都有深切的道理，也有謬誤之處。

就麗百嘉而言，如果也能有個人的發展，且受到鼓勵的話，她的感情、敍事與象徵的能力，可以發展得很強，而且很豐富，說不定還因此成為某種渾然天成的詩人。或者，就像第二十四章的荷西一樣，成為天生的藝術家。對其他智能不足的人來說，也是一樣。而他們對典型與概念性的理解力，從一開始就弱，進展得也很慢又很痛苦，而且所能發展的，十分有限。

戲劇激發出生命力

麗百嘉對此了然於胸，從我第一天看到她，她就已經把這一點清楚地告訴我。那時候她告訴我，她的笨拙樣子，還有手腳不靈光的情況，有了音樂就會全然改觀，變得協調、流暢；她也讓我看到她在自然的景況，一個有生氣、有美學及戲劇氣氛和感覺的環境，如何沉靜她的身心。

在她祖母死後，她突然變得清楚而有自己的決定：「我不要再上課，不要再參加研討，」她說，「那些對我產生不了作用。它們沒辦法使我整個人協調一致。」接著，以她那令我激賞的隱喻能力，她看著腳下辦公室的地毯，告訴我：「我就像一塊活著的織毯。我需要有樣子、有設計，就像這塊地毯一樣。如果沒有設計，我就會四分五裂，會散開來。」

當麗百嘉這麼說的時候，我也看著腳下的地毯，並且想到夏律敦著名的意象，他將腦子／心智，比擬為一台魔法織布機，樣式不斷地織出，也不斷地消去，但總是有意義。我想到：有人會只有一張沒有加工、沒有設計的織毯嗎？人會不會只有設計，卻少了毯子（就有點像《愛麗絲夢遊仙境》，只看到貓的微笑，卻看不到貓）？一塊「活的」毯子，正如麗百嘉所言，必須兩者兼顧，尤其是她，缺乏系統性的結構（就像織布需要的經、緯線和梭子），若再沒有了設計（毯子上描繪的景物，或表現的樣式），那她真的會散裂開來。

「我一定要有意義，」她接下去說。「這些課程、這些奇怪的工作沒有意義……我真正喜歡的，」她帶著渴望的語氣加上一句：「是劇場。」

我們將麗百嘉從她討厭的研究班帶開，設法讓她註冊進入一個特別的劇場團體。她很喜歡這個安排，那讓她整個人又組合起來了；而且她表現優異：她變成了一個完整的人，在所扮演的每個角色中，有模有樣，流暢優雅。現在如果有人看到台上的麗百嘉（劇場和這個表演團體，很快就成為她的生命），絕不會想到，她過去是個心智有障礙的人。

後記

音樂、故事和戲劇的力量，在理論和實際的層面，都具有最重要的分量。連在智商低於二十，幾乎沒有行動力，認不得人、事、物的智障者身上，都可以看到其效果。有音樂、舞蹈的片刻，他們笨拙的動作可能就不復見，有了音樂，他們突然知道怎麼動作了。我們看到連最簡單，只要四、五個動作即可完成的事情都做不來的智障者，如果配合音樂，卻可以做得完美無缺。他們掌握不了一步接一步的條理，但是透過音樂搭配動作之後，卻能表現得很好。

額葉嚴重受傷，以及精神性運動不能症的病人，雖然智力各方面都完好無缺，卻沒有能力「做」事，無法做最簡單的連續動作，甚至無法走路，也可以透過音樂，得到戲劇性的療效。這類連續性動作缺陷，或行動白癡的毛病，普通的復健系統都毫無作用，卻能夠在音樂的指導下，讓問題消失無形。這一切，無須解釋，就說明了我們需要音樂治療的原由，或原由之一。

我們所見的，基本上是音樂的組織力量，而且當系統性的組織方法失效時，這卻是個有效之道（而且做起來很快樂）。的確，當其他任何組織形式都不奏效時，音樂治療卻特別有戲劇性的成效。所以說，音樂或任何敍事的形式，是治療智障或精神性運動不能患者不可或缺的一劑處方。因此，對他們進行的教育或治療，一定得將重心放在音樂或某些類似的工具上。

而戲劇還有更多的效果：戲劇中有角色的力量，可以幫助整個人格的組織，持續下去，甚至還能改變個人的人格。能夠去表演、扮演，進一步成為角色本身，似乎是人類生命中的「天賦」，無關智商高低、資質不同。我們從嬰孩身上看到這一點，從老人身上也得見，而我們在這世界每一個麗百嘉的身上看得最明顯。

第二十二章

歌劇通馬丁

像馬丁這樣一個智障者，會這麼熱愛巴哈，

實在令人不解，但也令人感動。

巴哈似乎是這麼地有智慧，而馬丁卻是個愚者。

有一件事，一直到我買了清唱劇的卡帶，

又去聽了一場「莊嚴頌」之後，

還是搞不懂的，就是馬丁的智力雖然這麼低下，

他卻擁有能夠完全領會巴哈音樂複雜技巧的音樂智慧；

不過，還不只如此，巴哈為他而活，

他也活在巴哈之中，而這完全無關智力。

馬丁，六十一歲，一九八三年底住進我們院裡時，已經得了帕金森症，而且沒有辦法照料自己了。他在襁褓期就染上了幾乎致命的腦膜炎，造成了智障、情緒容易激動、癲癇，以及半邊癱瘓。他上學的時間很短，但是受了很好的音樂教育，因為他的父親是紐約大都會樂團著名的歌唱家。

他與父母同住，直到他們過世。之後他靠著當信差、速食店的廚工等等，過著僅供餬口的日子。任何可以做的工作他都做過，只是過不了多久，就被老闆炒魷魚，原因總不外乎手腳太慢、心不在焉或能力不足。若不是因為他擁有優異的音樂天分和感受力，可以從中得到許多快樂，而且感染了別人，他的一生必然充滿了灰黯和傷心。

儘管不會讀譜，但他對音樂的記憶力驚人。有一回，他告訴我：「我記得兩千齣歌劇。」一事情是真是假，我並不清楚，因為他總愛強調自己的耳朵有多靈光、他多麼有辦法聽一遍就記住一齣歌劇，或一套曲目。可惜的是，他並沒有一副配得上耳力的好歌喉。雖然音準正確，但是聲音沙啞，有些痙攣性的發音困難。

他天生遺傳的音樂才氣，顯然在腦炎肆虐、腦部受損之下，仍然倖存。或者說，因此而獲得音樂天分？如果腦子沒有受損，他會是個像卡魯索一樣的歌唱家嗎？還是說，他的音樂發展，其實可以說是腦子受損與智力發展受限之後的一種「補償」？我們永遠不會知道。可以肯定的是，透過父子親密的關係，尤其是父母對於智障孩子特別溫柔的呵護，他的父親不只遺傳給他音樂的細胞，也包括了對音樂的熱愛。馬丁雖然反應慢又愚笨，仍深受父親的寵愛，而他也回報以熱烈的愛；而且這父子之愛，更因為共同的音樂愛好而更加穩固。

無所不知的歌劇通

馬丁生命的重大遺憾是，他不能追隨父親，克紹箕裘地成為一個有名的歌劇、聲樂家。不過這倒不至於一直困擾著他，因為從他所「能」做的，他仍然得到了很大的樂趣，也相當的投入。別人會來請教他，甚至一些名人都跑來找他，因為他超強的記憶力，可以延伸到音樂之外，記得所有表演的細節。

他很高興自己成為小有名氣的「活百科全書」，不只知道兩千齣歌劇的音樂，還記得在數不清的表演中，每一位歌唱家所扮演過的角色，以及場景、舞台、服裝、台上的裝飾等，一切大大小小的事（他也很得意自己對於紐約的大街小巷、每一棟房子都瞭如指掌，也曉得所有的公車、火車路線）。所以說，他是個「歌劇通」，也是個「白癡大師」（編按：或譯白癡學者。醫學上稱之為「學者症候群」）。

這一切他樂在其中，像個孩子似地玩得很開心，很高興自己可以記得那麼清楚、記得那麼細微的事。不過真正的喜樂，真正讓日子能夠過得下去的事，是他親身參與音樂活動，在當地教會的詩班唱詩（很遺憾，他因為發音困難的毛病，無法獨唱），特別是在某些大型活動如復活節或聖誕節中，獻唱「約翰受難曲」、「馬太受難曲」、「聖誕組曲」或「彌賽亞」。

從小男孩變成了大人，他在紐約一些大教會與天主堂的詩班，一待就是五十年。他也曾在大都會音樂廳演唱，音樂廳拆掉後，還到過林肯中心，不過是隱身在華格納或威爾第大部頭的合聲當中。

在這些時刻，主要是演唱神劇或受難曲，不過也有在小教會的詩班或聖歌隊獻唱，他整個人被提升到音樂之中，馬丁忘卻了自己的「智障」，忘掉生命中所有的哀傷與苦痛，感受到無限寬廣的空間在眼前開展，覺得自己是一個真正的人，也是上帝真正的孩子。

馬丁的世界，他的內在世界，是怎樣的一番光景？他對外頭的世界所知有限，沒有什麼生活的知識，而且他也毫無興趣。如果讀一頁百科全書或是報紙給他聽、拿一張亞洲河流的地圖或紐約地鐵圖給他看，他馬上用那過目不忘的記憶力記下來。但是這些一筆筆清清楚楚的腦中紀錄，卻跟他沒什麼關係，以沃罕的話來說，這些事物是「無中心的」，裡頭沒有他、沒有任何人，或者任何有生命的東西。

他的記憶似乎是不帶感情的，不會比感受到有一張紐約地圖存在還多的感情，它們之間也不會形成關聯，或者產生延伸的想法，或變成一般化的認知。所以說，他那絲毫不遺漏的記憶力，就像他身上的片片段段，並沒有形成一個「世界」，或讓人有這樣的感覺。它是未經統一、沒有感覺、跟他無關的。這個現象，讓人感覺面對的是一部記憶機，或是一個記憶庫，而不是一個實實在在、活生生、有自我的人。

驚人的照相記憶

但即使是這樣，這當中還是有一個相當特殊的例外，那個記憶立刻成為他最令人歎絕、最個人化，也最神聖的記憶。一九五四年出版的、一整部九大冊的《葛洛夫音樂與音樂家字典》，他全都牢記在心中。他可說就是一部活的葛洛夫字典。

他的父親年紀大了，身體欠安，不能再做頻繁的演出之後，大部分時間都待在家中，在留聲機上播放他收藏豐富的聲樂唱片，跟著每張唱片從頭唱到尾，也跟當年三十一歲的兒子一塊兒哼哼唱唱（這是他倆生命中最親密的時光）。同時還大聲朗誦葛洛夫字典，六千頁全部唸過一遍，他一邊唸，裡頭的內容就深深烙印在他兒子記憶力無限、卻大字不識一個的腦袋中。所以，他腦中的葛洛夫字典，是由「聽」父親的聲音而得來的。每回想起，總是帶有感情。

像這樣令人歎為觀止的龐大的照相般的記憶能力，如果被人利用，或做「專業上」的剝削，有時候會鳩占鵲巢，趕出了真正的自我，或者與自我競爭，阻礙了它的發展。而且，如果記憶中沒有深度、沒有感情，就不會因為記憶而痛苦，反而可以變成對現實的一種逃避。

這種狀況，很清楚也很極端地發生在盧力亞的「記憶大師」身上，在他書中的最後一章，有讓人拍案叫絕的描述。在馬丁、荷西與雙胞胎的身上，也某種程度地出現了類似的現象，只不過在這幾個案例中，他們的記憶也用在現實生活中，甚至用在「超現實」，即一種對世界特異、強烈而神祕的感受力之中。

如果拿掉他所記得的那些細細瑣瑣的事物，他的世界又是如何？從許多方面來看，那個小格局、瑣碎不堪而且黑暗的世界，構成一個智障者的世界；在其中，他被鄙夷、被當成小孩子來看待，好不容易找到個卑微的工作，又因不合成人世界的標準而被解雇：在這個世界中，他很難覺得自己是個像樣的小孩，或是個像樣的大人；別人對待他的態度，也給他同樣的感受。

他時常很孩子氣，有時候滿惹人嫌的，也會突然大發脾氣，那時候罵人的話就像個小孩子。「我要丟一團爛泥巴到你臉上！」我有一次聽他這麼尖叫，有時候他也會跟人吵嘴或打架。他渾身臭味，髒兮兮的，會把鼻涕擦在袖子上，這種時候他看起來就像個討人厭的小鬼（感覺起來也是）。這樣孩子氣的性格，再加上他煩人、事事愛出風頭的個性，搞得沒有人喜歡他。他在院內很快就成為不受歡迎的人物，他發現自己受到許多人的排斥。

危機正在發生，馬丁一週週、一天天的退化，大家都不知道該怎麼辦。起先他被斷定是「適應不良」，所有病人在離開外頭的獨立生活，搬進「老人院」之後，都會出現這種情形。但是修女覺得還有某些更特別的因素在影響著他：「有些事情在啃噬著他，好像是一種飢餓，一種啃噬他的飢餓。我們阻止不了，那正在摧毀他。」修女繼續說：「我們得想點辦法。」

所以，一月的時候，我第二度去看馬丁，卻發現眼前的人完全變了樣：不再像以前那樣趾高氣昂、喜歡表現，明顯陷在精神上與一種身體上的痛苦之中。

「怎麼回事？」我說：「出了什麼問題？」

「我一定要唱歌，」他沙啞著聲音說：「沒有它，我活不下去。那不只是音樂。沒有它，我也沒辦法禱告。」而後，突然之間，以前的記憶襲上他的心頭：「《葛洛夫》〈巴哈篇〉第三〇四頁裡說：『音樂，之於巴哈，是敬拜的工具』。我沒有任何一個禮拜天，」他繼續說，帶著更多輕柔、沉思的聲調，「是沒有去教會、沒有在詩班唱詩歌的。當我長大會走路時，第一次去那兒，是跟爸爸一起去的，他在一九五五年死後，我還是固定去。我一定要去，」他激動地說：「不去的話，我會死。」

「你儘管去，」我說：「我們原來不知道你在想念什麼。」

活在巴哈之中

教會就離老人院不遠，他們歡喜迎接馬丁回去，他不只是個忠心的會友和詩班員，更是繼他父親之後，詩班的智庫和建言者。在這之後，他的生命一下子有了一百八十度的轉變。馬丁覺得自己又重拾往日適當的位置，禮拜天，他可以在巴哈的音樂聲中歌唱、敬拜，同時享受他所得到的那靜謐的權威。

「你瞧，」下一次見到他的時候，他告訴我，並沒有自誇的意思，只是純粹在陳述事實：

「他們曉得我知道所有巴哈的崇拜及合唱音樂。我知道所有的教會清唱劇，《葛洛夫》上面列的二百零二首，我都知道，還曉得哪個禮拜天和聖日要唱什麼歌。我們是這個主教轄區裡頭，唯一擁有真正的管弦樂團和詩班的教會，也是唯一一所固定演唱巴哈聲樂作品的教會。每個主日我們會唱一齣清唱劇，而這個復活節我們打算演唱『馬太受難曲』！」

像馬丁這樣一個智障者，會這麼熱愛巴哈，實在令人不解，但也令人感動。巴哈似乎是這麼地有智慧，而馬丁卻是個愚者。有一件事，一直到我買了清唱劇的卡帶，又去聽了一場「莊嚴頌」之後，還是搞不懂的，就是馬丁的智力雖然這麼低下，他卻擁有能夠完全領會巴哈音樂複雜技巧的音樂智慧；不過，還不只如此，巴哈為他而活，他也活在巴哈之中，而這完全無關智力。馬丁的確只有「零碎」的音樂能力，不過，這些能力只有在離開了正確和自然的環境時，才會顯得零碎。

馬丁心中唯一關注的，跟他父親過去關注的一樣（也是他們兩個所共同分享的），永遠都是音樂的精神，特別是宗教音樂的精神，以及那上帝所造，用來頌揚、高唱，帶著喜樂與讚美直入雲霄的歌唱精神。

當他回去唱詩、回到教會，馬丁就換了一個人。他尋回自我，再次更新，又變回了真實。那個虛假的人，那個被貼了標籤的智障者，那個惹人厭，討人嫌的小孩，都消失了。那個煩人、沒有感情、沒有自我的記憶力也不見了。真實的人再一次出現，那是個有尊嚴又高尚的人，受到院內其他人的尊敬與重視。

不過，最棒的事，是看馬丁投入唱歌之中，或者聆賞音樂的樣子，是那樣的專注，似乎已臻化境──「在完全之中，完全投入」。這樣的時刻，就跟麗百嘉在表演、荷西在畫畫，或者雙胞胎在進行他們之間奇怪的數字溝通時是一樣的。總結一句，馬丁在此刻轉換形象。所有的缺陷與疾病都遠離了，在他身上看到的，只有專注、活力、完整與健康。

後記

寫下這篇文章，以及其後兩篇文章時，我只是從我自己的經驗出發，並不曉得有什麼文獻談到這個主題，應該說，竟然不知道有很多相關的文章。例如，可以看看希爾一九七四年所列的五十二篇參考文章。一直到〈數字天才寶一對〉（見下一章）一文發表後，收到了一大堆來信和單行本，我才略略得知這一點，而且常常還是搞不清楚狀況。

在這當中，特別引起我注意的，是一篇由維斯考特所寫，優美又詳盡的個案研究。在馬丁與維斯考特的病人哈蕊之間，有許多共通之處。兩個個案都有異於常人的能力，這些能力，有時候會用在「無中心的」、漠視生命的方向上，有時候則用在肯定生命、創造的方向上。所以，當哈蕊父親讀給她聽之後，哈蕊記住了波士頓電話簿的前三頁（幾年之後，還記得上面的任何一個號碼）；除此之外，哈蕊的個例還換上一個完全不同，而且非常具有創意的模式，她可以作曲，並即席創作出任何一位作曲家風格的音樂。

顯然這兩個人，就像雙胞胎一樣（見下一章），有可能會被迫，或被吸引去當個「白癡大師」，做一些迷惑眾人卻無意義的運算技巧表演。但只要不朝這個方向逼迫他們，他們都會不斷顯出自己對美、對秩序的追求。雖然馬丁對記憶一些隨機、無意義的事物有驚人的功力，他真正喜愛的，還是秩序與和諧，無論那是清唱劇的音樂與靈性的秩序，還是葛洛夫百科的秩序。而巴哈與葛洛夫都在傳達同一個世界。馬丁的確除了音樂之外，沒有別的世界（維斯考特的病人也是如此），但這個世界是真實的，也讓他變得真實，可以改變他。看到他的變化真是令人欣慰，在哈蕊身上所見的，必然是同樣的感覺：

當我邀請她在波士頓州立醫院的一場研討會中表演時，這個一事無成、笨拙、缺乏優雅姿態的小佳人，這個長得過大的五歲女孩，樣子完全改觀。她端莊地坐下，沉靜地看著琴鍵，直到我們安靜下來，然後慢慢地將她的手放在琴鍵上，讓它們停了一下。接著點頭，開始以全部的感情，和一個演奏廳鋼琴家的動作，彈出音符。從那一刻起，她已完全變了一個人。

白癡大師擁有真實智慧

「白癡大師」這個名字，讓人覺得他們會的只是些奇怪的「伎倆」，或者數學神算，卻沒有真正的聰明或理解力。這的確是我起初對馬丁的想法。這樣的想法，一直持續到我買了「莊嚴頌」之後才改變。那時候，我才終於清楚，馬丁是真的能夠完全理解這樣一篇複雜的作品，並非只是靠著某些伎倆，或者過於常人的記憶而已；他所有的，是真實而有力的音樂智慧。

所以，當這本書出版之後，我收到一篇住在芝加哥的米勒所寫的迷人文章，名字是〈一位有發展性殘疾的音樂大師對聲音結構的感受力〉，這篇文章格外引起我的興趣。由該文章對一位五歲神童巨細靡遺的研究顯示，他的母親在懷孕期間得了痲疹，導致他心智上與其他方面嚴重殘障；他並不是用機械式的背誦記憶，而是「對於組合的規則，具有過人的敏銳力，尤其是不同音符在決定一個主要結構上所扮演的角色……對於延伸創造的結構規則擁有絕對的知識；也就是，他不限於個人經驗所提供的特定範例的規則。」

我相信，這就是馬丁的情況。有人一定會想，這種看法說不定能適用於所有的「白癡大師」：他們可能在特定的領域，真的擁有創造性的聰明，不只是運算的「伎倆」而已，在這些音樂的、數字的、視覺的……等領域，不管是什麼，他們都優於常人。這正是馬丁、荷西、雙胞胎所擁有的智慧；雖然局限在特殊而狹小的領域中，最後還是對一個人產生影響力。而我們需要去認識、去培養的，也就是這樣的智慧。（更多有關馬丁的故事，請見薩克斯醫生最新作品《腦袋裝了2000齣歌劇的人》）

第二十三章

數字天才寶一對

他們一起坐在一個角落，臉上掛著神祕、不為人知的微笑。

他們似乎彼此相繫於完全只有數字的對話中。

約翰說出一個六位數的數目字，

麥可就領會了它的意義，點頭、微笑，

好像正在品嚐那個數目字一般。

然後輪到麥可，也說了另一個六位數的數目字，

這回是約翰領受，顯出非常欣賞的樣子。

他們的樣子看起來，像兩個正在品酒的人，

分享罕見的人間佳釀。

一九六六年，我第一次在一所州立醫院見到約翰和麥可這對雙胞胎時，他們已經頗有名氣了。他們上過廣播和電視，無論嚴謹的科學刊物，或大眾媒體，都對他們做了詳盡的報導。我甚至懷疑，他倆還曾經成為科幻小說的主題，內容雖有點加油添醋，不過主要還是根據已經刊出的報導寫成的。

這對雙胞胎，那時二十六歲，從七歲時就已經來到這家醫學中心，被不同的醫生診斷為自閉、精神病，或是嚴重智障。大部分敘述的結論都是，「就像白癡大師的狀況」，或「他們沒什麼特別長處」，只有一點例外，那就是他們有特殊的「資料性」記憶力；連最微不足道的事物，都能過目不忘；另外，他們能使用潛意識中的日曆數字，所以能夠馬上說出過去或將來的某一天是禮拜幾。這是史密斯在他那本完備且具想像力的書《偉大的心算者》中所採用的觀點。據我所知，從六〇年代中期之後，就再也沒有人對雙胞胎做研究了，他們所引發的短暫興趣，已經因為對他們的疑問有了明顯的「解答」，而冷卻下來。

不過，我相信這是個誤解；或許是在僵化的觀念之下，也或許是在研究者所使用的問題一成不變，且只注重他們完成「任務」的情況下，所自然產生的偏見。也因此，他們將雙胞胎的心理、方法與生命，化約到幾乎什麼都不是。

實情其實比任何研究所說的，更奇怪、更複雜、更難以解釋。但是經由步步進逼的制式「測驗」，或是像「六十分鐘」之類的訪問，卻一點都看不出來。

表象之下的深度

我不是說這些研究，或電視節目是「錯的」。它們都很有道理，通常感覺上也很豐富，但是它們卻自我設限在一些明顯可見，或者可以測驗的「表相」，沒有再深入挖掘，也完全沒有提到，或者猜測，表面之下還有更深入的東西。

除非停止對這對雙胞胎做測驗，不再將他們當作「主題」，要不然，難以從他們身上看出任何深度。我們需要把打算限制他們、測驗他們的意圖擺在一邊，好好地來認識這對雙胞胎。公開、安靜地觀察他們，不要預設立場，而要放開心胸，從現象學的角度來觀察，看他們怎麼生活、思想、安靜溝通、用他們獨特的方法追求自己的生活。然後你才會發現，有非常神祕的事情在工作，它的力量與深度，可能是屬於最基本的一種；而那樣的神祕，卻是我認識雙胞胎十八年以來，始終無解的。

第一眼見到他們，對他們的印象真的不好──一對半斤八兩的怪人，分不出彼此，外形、動作、個性就像照鏡子般，一模一樣。連心智狀況都是畫上等號的，兩個人同樣是腦部與組織受損。他們的個頭比正常人矮，頭、手跟身體比起來，大得不成比例，上顎與足部都彎曲得厲害，聲音怪異、沒有高低起伏；身體會產生各樣奇特的抽搐與動作，還有高度退化性近視，配戴的眼鏡厚得不得了，眼睛好似都歪掉了；那副眼鏡讓他們看起來像荒謬的小教授，老是帶著一種不對頭、過度專注而詭異的注意力，盯著某些地方不放。而一旦開始測驗他們，或者讓他們像默劇傀儡般，自動開始他們的「習慣動作」（他們很容易這麼做），會更加深他們給人的那種怪異印象。

這就是過去出版的文章所提及，或舞台上所呈現的雙胞胎。在我工作的那個醫院，他們是每年年終晚會的重頭戲。他們也常出現在電視上，看起來同樣令人覺得尷尬。

在這些情境之下所呈現出的「事實」，永遠一成不變。雙胞胎說：「給我們一個日期——過去或未來四十年的任何一天。」你給他們一個日子，他們幾乎是同步告訴你，那天是禮拜幾。「再一天！」他們叫喊，然後表演就一再地重複。他們也會告訴你，八萬年內，哪些天是復活節。

有人可能會觀察到，雖然並沒有看到報導中提及，他們在做這些回答時，眼睛一直盯著某個方向，就好像他們正在打開或察看一幅內在的風景畫，或是心靈上的日曆一般。雖然有人歸結說，其中的祕密完全只是計算的工夫，但他們會有那種「看到」的表情，目光十分地專注。

記憶高手？心算專家？

他們對於記憶數字非常的厲害，可以說是無限制的記憶。複誦三位數、三十位數或三百位數，對他們來說都是同樣的容易。不過別人還是認為，這是因為他們有「訣竅」。

然而，一旦測試他們計算的能力——數學神童或心算者最擅長的本領，他們的表現卻出奇的差，差不多就是他們六十分的IQ該有的程度。簡單的加法或減法，他們都會算錯，而且根本不了解什麼是乘法和除法。這又是怎麼回事？「偉大的計算者」不會算算術，連最基本的數學能力都沒有。

儘管如此，他們還是被稱作「日曆計算家」。大家毫無根據就已經推斷、認定，他們之所以有這樣的能力，跟記憶力無關，而是使用了無意識的數字運算來計算日子。其實只要想想，連過去最偉大的數學家兼心算者高斯，也無法算出復活節的日子，就很難讓人相信，連最簡單的數學計算都不會的雙胞胎，能夠以數學運算法推斷、計算出答案。許多計算能力好的人，的確是有一大套方法和數學公式，可以算出他們要的答案，可能就是因為這樣，才讓霍維茲等人先入為主的認定，雙胞胎的情況跟這些人一樣。史密斯也歸結這些早期表面的研究：

雖然已是老生常談，但某些神祕的事情正在這裡發生——人類神祕的能力，可以讓人在下意識中形成數學運算。

如果事情就這麼開始，也這麼結束，那看起來的確像老生常談，一點也不神祕，因為數學的計算，本質上是機械性的，是屬於「問題」的層面，而非「神祕」的層面，電腦早已經能夠做很好的運算了。

然而，即使是在他們的一些表演、一些「技倆」當中，都具有讓人跌破眼鏡的特質。他們能夠說出他們一生中任何一天的天氣，和當天所發生的事，差不多從四歲開始的每一天都說得出來。他們說話的方式很像席維伯格作品中的人物馬蘭奇，既孩子氣，又都是瑣瑣碎碎的細節，而且不帶感情。

給他們一個日子，他們的眼珠子轉幾下，然後停下來，以一種平板、單調的聲音告訴你，當天的天氣、當時聽過的政治事件，以及他們自己在那一天的生活。最後一部分通常帶著童年的痛苦，或深刻的挫折感，是過去他們所受過的鄙夷、嘲弄和羞辱的經驗，但他們卻是用一種平板、沒有變化的聲調說出來，絲毫不帶個人感情。顯然在這時候他們所帶出來的記憶，是一種「資料性」的記憶，不摻入個人意見，與個人沒有關聯，也找不出其中有任何生活的重心。

巨細靡遺的記憶力

可以說，個人的感受、感情，已經從這些記憶中除去。尖刻一點來說，你在偏執狂和分裂性人格的人身上，也可以看到這種現象（而一定也有人把這對雙胞胎當成偏執狂，或是人格分裂）。不過，更具說服力的說法應該是，這類的記憶從來不會「有」任何人格性在其中，因為這類過度記憶力的基本特質正是如此。

不過需要強調的是，這對雙胞胎記憶容量之大，可說是無限的，而他們也可以無限制地搜尋腦中的記憶，雖然隨便一個等著大開眼界的無知觀眾都會注意到，研究他們的人卻很少提到這點。如果你問他倆，怎麼能記得這麼多事情，例如三百位數字，或者四十年內數不清的事件。他們會很簡單地回答說：「我們看見。」他們所「見」的，也就是「視覺中出現」的，頻度之強、幅度之廣，以及逼真的程度，似乎就是謎題的解答。

那好像是他們心智中天生自然的生理能力，情況可以與盧力亞《記憶大師的心靈》中那位出名的病患相提並論，雖然雙胞胎並沒有像「記憶大師」的記憶中那種豐富的綜合性知覺（譯注：由一種感覺刺激引起不同的感覺），和有意識的組織。但是毫無疑問地（至少我是這麼認為），雙胞胎的腦中存有大量的畫面，像是些風景或是各樣人、物的外貌，都是他們曾經聽過或看過、想過、做過的事情，而且只要一轉眼（從外表可以清楚看到他們的眼珠子快速轉動，然後定睛），就能喚起這些記憶，並且「看到」大畫面中的任何小事。

這樣的記憶力是最不尋常的，但它們還不能算是獨一無二。為什麼雙胞胎或其他人會有這樣的記憶，我們所知有限，甚至毫無概念。雙胞胎身上是否還有些更耐人尋味的事情，就如我先前所提示的？我相信是有。

曾經有記載提到，十九世紀愛丁堡音樂教授奧克利爵士，有一次到一個農場，聽到一隻豬在叫，他立刻喊道：「升G調！」有人跑到鋼琴那裡，一彈果然是升G調。我自己對於雙胞胎所擁有的天生能力、天生的思考模式，看法也是像這樣：想都沒想就浮現心中，而且我還忍不住覺得帶點喜感。

數字111與37

某次一盒火柴從桌上打翻了，散了一地。「111」，他們兩個同時叫出來；接著，約翰喃喃地說：「37」，麥可重複一遍，約翰又說一次，然後停下來。我去算這些火柴的數量，花了一些時間才算好，果然就是一百十一根。

「你們怎麼能算得這麼快？」我問。「我們沒有算，」他們說。「我們看到111。」

數字神童達思也有類似的能力，一籮筐桃子倒出來，他可以立即說出「183」或「79」，而且很希望別人知道。他也是個智商很低的人，他並沒有去「算」桃子，而是在剎那間，「看到」那一整堆的數目。

「為什麼你們要說『37』，而且說了三遍？」我問這對雙胞胎。他們異口同聲地回答：「37，37，37，111。」

如果情況是這樣，就更令我大惑不解了。如果他們是在瞬間看到「111這個畫面」，那麼，雖然特別，也不會比奧克利的「升G調」更特別，因為那就像是某種對數字的「絕對音感」。但他倆卻是在沒有任何方法，甚至不「知道」除法是什麼意思的狀況下，將111除以3。我原先不是觀察到，他們連最簡單的算術都不會，也不「懂」（或似懂非懂）什麼是乘法和除法的嗎？然而現在，他們卻自動地把一個多位數除以3。

「你們怎麼算出來的，」我很急切地問他們。他們盡最大的力量，用有限的詞句向我說明。不過，或許根本沒有合適的言語足以表達這樣的事，因為他們不是「算出來」的，只是在一瞬間「看到」。約翰做了一個姿勢，伸長兩根指頭和大拇指，好像在說他們是自然而然把數字分成三等分，或者，它們是自然「分開」成相等的三分，自然形成某個數字。

對於我的驚訝，他們似乎也很訝異，好像覺得我有點視障；而約翰的姿勢也傳達了一種對直接、「感受」事實的超尋常感應力。我對自己說，會不會是，他們能「看到」事物的屬性，而且不是透過概念、抽象的方式，而是直接、具體地感覺、感受到事物的「質」？而且不是單獨成為一個的質感——像一整個「111」——而是關係的質感？或許在某種類似的狀況下，他們也會如奧克利爵士，說出「三分之二」或「五分之一」這樣的話來。

我開始覺得，透過「看見」事件和日期，他們能在腦中掛起，真的掛起，一張巨大的記憶織錦，一幅很大（可能是無限大）的風景圖，每樣東西都可以在裡頭看到，不論單獨看，或從關聯的角度看都可以。當他們展開其無休無止、隨口而出的「資料」時，他們主要展露出來的是單獨而非關係的感受力。

然而，這樣神奇的內在視覺能力，基本上是具象，完全非關概念化的能力，豈不也讓他們具備能力去看到關係，看到形式的關係，或形式與形式之間的關係，不管那是隨意的或是有意義的？如果他們能一眼看到整個111，他們難道不會也一眼看到（以一種非關智商的整體感受，去看見、認出、聯想和比較）數字巨大複雜的形成方式與星座圖？這是種可笑的，甚至是殘疾之能。我想到波赫士的「芙恩斯」：

我們，在一眼間，能了解桌上的三個杯子；芙恩斯則可以理解組成葡萄藤的所有葉、鬚莖與果子……黑板上畫的一個圓、一個方形與一個菱形——這一切都是我們能完全、本能理解的形式；艾瑞諾能夠同樣理解小馬濃密的馬鬃、山坡上的牛群……我不知他能看到多少天上的繁星？

是否，特別喜歡數字、領悟力超強的雙胞胎，能夠一眼看出這個數目，同樣也能在心眼中看見由數字葉子、數字鬚莖和數字果子組成的「數字」葡萄藤？這是一個奇怪，或許是荒謬、幾乎不可能的想法——但他們已經讓我看到太多奇怪、超乎人所能理解的事情了。而我所見的，就我所了解，只不過是他們能力當中微乎其微的一部分而已。

我思考這件事，但是實在想不出什麼所以然來。後來我就把它忘掉了。直到我再度撞見一個自發的情景，一個神奇的情景。

愉快地交換神秘數字

這次，他們一起坐在一個角落，臉上掛著神祕、不為人知的微笑。我從來沒有看見他們那樣笑過，好似正在享受著某種奇怪的樂趣和安祥。我靜靜地靠近，以免打擾他們。他們似乎彼此相繫於完全只有數字的對話中。

約翰說一個六位數的數目字，麥可就領會了它的意義，點頭、微笑，好像正在品嚐那個數目字一般。然後輪到麥可，也說了另一個六位數的數目字，這回是約翰領受，顯出非常欣賞的樣子。他們的樣子看起來，像兩個正在品酒的人，分享罕見的人間佳釀。我靜靜坐在那兒，沒讓他們看見，深為著迷卻又不解。

他們在做什麼？究竟是怎麼回事？我完全摸不著頭緒。那可能是一種遊戲，但它帶著莊重、投入之情，是一種安祥、默想、幾乎是神聖的熱情。我從未在其他平常的遊戲中看到這番景象，他倆的樣子，也非我向來看到的那一對動個不停、靜不下來的雙胞胎。他們口中所說出的數字，我自己完全無所體會，而他們卻明顯從中得到快樂，在彼此的交會中，「默想」、品嚐、分享著那些數字。

那些數字會有什麼意義嗎？回家的路上，我狐疑地想著：這些數字有什麼「真實」、或宇宙性的景象嗎？或者只是一些古怪、屬於他們自己才懂的景象，就像兄弟姊妹間有時候會編出來一些沒什麼意義的「祕語」？我開車回家的時候，我想到盧力亞的雙胞胎——萊莎和尤拉，這對腦部受損與語言功能受損狀況都一模一樣的雙胞胎。她們會用一種原始、像嬰孩一樣，且只有她們才懂的語言來遊戲和聊天。約翰和麥可甚至連一字半句都不用，只是不斷地向對方丟出數字。這些「波赫士式或芙恩斯式」的數字，只是數字的葡萄藤，或是只有雙胞胎才懂的馬鬃、星座、祕密的數字形式，是某種數字暗語？

一回到家，我就抽出幾張功率、因數、對數和質數的對照表。這幾張表是我小時候一段奇怪、孤僻時期所遺留下來的東西。那時，我也是個滿腦子數字的小孩，一個數字的「看見者」，對於數字有著特殊的狂熱。觀看雙胞胎玩遊戲時，我就有個預感，而今已獲得證實。雙胞胎彼此交換的六位數數字，都是質數，也就是除了1和數字本身，無法被其他數字整除的數目。他們是不是曾經看過，或有一本像這樣的書：還是他們自己，以一種令人無法想像的方法，本身就能「看到」質數，就像他們看到111或三個37那樣？當然，他們不是算出來的，因為他們完全不會算。

參與高深的「質數遊戲」

隔天我回到醫院裡，帶著一本珍藏的質數書。我又發現他們黏在一起做他們的數字溝通，不過這一回，我靜靜地加人他們，沒有説話。起先他們停頓了一下，不過看我沒有打擾，又繼續他們六位數質數的「遊戲」。幾分鐘之後，我決定加入，試探性地說出一個八位數的質數。

他倆都轉向我，突然安靜了下來，臉上露出專注，或許是迷惑的表情。停了好長一段時間——是我在他們身上看過最長的一次停頓，差不多持續了半分鐘，或更久——然後，突然，兩個人同時露出笑容。

經過了某種難以想像的內在測試，他們突然看到我的八位數是質數，對此他們顯得非常開心，是一種雙重的喜悅：第一是因為我介紹了一種好玩的新玩法，他們原先還沒有接觸到這一層質數；第二點令他們高興的是，因為我已經看出來他們在做什麼，而且我也喜歡、欣賞這個遊戲，願意加入他們。

他們稍稍分開點，騰了一個位置給我這個新玩伴，兩人世界的第三個人。接著一向首先發難的約翰，想了很長一段時間——花了五分鐘，我動都不敢動，大氣也不敢喘一下。然後他說出一個九位數質數；接著他的另一半麥可，也花了差不多等長的時間，提出了一個類似的數字。接著輪到我了。我偷瞄了我的書一眼，添上自己不算太光明磊落的貢獻，回應一個書中看到的十位數質數。

同樣的情況再度發生，這一次他們尋思、沉默的時間更久；接著，約翰經過一番神奇的內在思考之後，提出了一個十二位數質數。這回我可就無資料可查，答不出來了，因為我的書（這本書，就我所知，已經是非常難得了）只記載到十位數質數。但是麥可還是跟上去了，雖然花了他五分鐘才想出來。而且一個小時之後，雙胞胎已經在交換二十位數的質數了（至少我假設那應該是質數，因為已經無書可查）。

在一九六六年的那時候，除非能夠動用複雜的大電腦，也沒有比較簡單的檢驗方式了。即使可以，還是很困難，因為不管用伊氏篩檢法，或其他任何數學公式，都不是計算質數簡單的方法。到了這個階段的質數，根本無簡單的方法可算。但是雙胞胎卻是照做無礙。（見後記）

我又再一次想起達思，他是幾年前我在麥爾斯的《人類人格》上讀到的一個例子：

我所認識的達思（可能是這類神童中最成功的一位），對數學完全缺乏理解……。然而他在十二年內所做的因數與質數表，其中所載的數目字超過七百萬，將近八百萬。按照一般人的壽命，沒有機器的幫助，很少人能完成這樣的工作。

麥爾斯結論說，達思可能是世上唯一一個過不了艾絲橋，卻對數學貢獻良多的人。麥爾斯沒有說清楚的是，達思是不是有什麼祕訣來完成他的表，或者就像他的「數字視見」實驗所暗示的，達思如同雙胞胎一樣，能夠「看到」這些大質數。

在數字中找尋和諧

當我在一旁默默觀察雙胞胎（這並不難，因為我的辦公室就在雙胞胎所住的那一病房區）

我看到他們做過無數其他的數字遊戲，或數字交談。這類遊戲的本質是什麼，我無法確定，也猜不透。

不過那看起來像是他們正在處理「真實的」屬性或本質，因為反覆無常的事物，例如隨機的數字，無法或很少帶給他們快樂。很清楚地，他們需要對他們的數字有「感覺」，這種情況有點像音樂家一定少不了和諧，就像同樣智障的馬丁（見第二十二章），在巴哈沉靜莊嚴的音樂建築中，找到他有限智力原本無法以概念理解的終極和諧，和世界的秩序。

「任何一個天性和諧的人，」布朗納爵士寫道，「都會在和諧中找到快樂……和第一位創作者（譯注：指上帝）深沉的思想。其中存在著比耳朵所能聽見的更多的神性；是關於這整個世界的一篇象形教導……恰恰融入上帝以其智慧所能聽到的和諧當中……這樣的靈魂……是和諧的，對音樂有著最親近的認同。」

沃罕在其《生命的線索》中對於計算，和他所稱的「圖象的」精神狀態，做了絕對的區分，他並且預期會有人反對這樣的區分法：

有些人可能會駁斥所有的計算都是非圖象這件事，所持的理由是，當他計算的時候，有時候是看著所寫下來的，進行運算。但這不構成反證。因為這種情況，並不是真的計算，而只是計算的呈現；我們所計算的是數目，但所見的是代表數目的數字形狀。

聽見心中的另類交響曲

相反地，萊布尼茲則對數字與音樂做了一番引人好奇的類比：「我們從音樂得到的樂趣，乃是從計算而來，只不過是無意識的計算。音樂也不過就是無意識的數學。」

這種說法，就目前我們所能肯定的部分，正好符合雙胞胎的情況。或許其他人也是如此？作曲家托赫的孫子魏施勒告訴我，托赫聽到一長串的數字，能夠馬上記下來；不過他的方法是將那串數字「轉化」成音符（他自己創作了一段符合數字的音樂）。巴克斯頓是一個最不吸引人，卻又最固執的心算家，他對數字與計算有著十足，甚至病態的狂熱（用他自己的話說：想數字會讓他「想得醉了」）。他則是會把音樂與戲劇「轉化」成為數字。

一七五四年，有個當代的人記載巴克斯頓：「他全神放在數算音階的數目，在一段美妙的音樂結束之後，他宣稱，這段音樂數不清的聲音，真是讓他心醉神迷到了極致。他去聽一位叫加瑞克的先生的演講，竟然只是為了算他說了幾個字，而且還說他算得很準。」

這兩個例子雖然有點極端，而且恰恰相反——音樂家把數字變成音樂，而心算家把音樂變成數字。很少能找到比這兩個更天差地別的心靈了，或者說，更你東、我西的心靈模式了。

這對雙胞胎雖然對於數字有過人的「感覺區」，卻完全不會計算，我相信他們應該不屬於巴克斯頓這一類的人，而比較像托赫，不過他們並沒有將數字轉換成音樂，而是實在地去感受數字的「形式」與「調子」，就像組成自然的多重巨大形式。他們不是心算家，他們的數字觀是「圖象的」。

他們傳喚出奇異的數字景象，置身其中，優游於巨幅的數字風景裡面；他們一幕幕地創造出一整個由數字組成的世界。我相信，他倆有最單一性的想像力，但是內容並不會因為只有數字而變得單調。他們並不「操作」數字，不像心算家那樣數算無圖象的數字；而是直接「看到」巨大的自然景象。

如果問說還有沒有類似的圖象化例子，我想在某些科學家身上也可以發現這種狀況。例如，門得列夫隨身攜帶寫在卡片上的元素屬性，直到把它們完全記熟為止——熟到在他眼中，這些元素不再是一群一群的化學組合，或是屬性，而是「熟悉的臉孔」。到這時候，他所見的元素就是圖象式的，有外表的，猶如一張張的臉，這些臉孔彼此相屬，就像家庭中的組成分子，而他們整個合起來，按著周期排列，就構成了整個宇宙的臉孔。像這樣的科學腦袋，就是圖象式的，把一切自然的事物都「看」成臉孔與景象，或許還將之視為音樂。

這種視覺，內在的視覺，雖然充滿了感官的感受，實際上與生理現象卻有密不可分的關係。而且把它從心理還原到生理，正構成了第二層，或外在的科學。（「哲學家尋求自己內在迴響的世界交響曲，」尼采寫道，「然後將它們以概念的形式，重新投射出來。」）雙胞胎雖然是低智商的人，卻能聽見這世界交響曲，只不過，我猜測，完全是在數字的形式中聽見。

熟悉而親切的朋友

無論一個人的IQ如何，他的靈魂都是「和諧的」，而對於像是物理學家和數學家這類的人而言，這種和諧的知覺，或許，主要還是智能上的。但同時，我也無法想像，有何智能不是多少帶著感覺的。事實上，「知覺」一詞，一直都存在著這雙重的涵義。它既是指理性的，又在某種程度上是「個人的」。因為，若事物本身跟個人毫無關係，或扯不上關係，一個人不會感覺任何事情是「合理的」。所以巴哈偉大的音樂結構，提供了像馬丁這樣的人，一種「象形的世界，影子的宇宙」，但那同時也是獨一無二，深受人喜愛的巴哈作品，而這一點，馬丁也深切地感受到，並且想到巴哈，就想到他所摯愛的父親。

我相信，雙胞胎所擁有的也不只是某種奇怪的「機制」，而是一種和諧的知覺，或許同類於音樂的知覺。有人可能會很自然地說那是「畢達哥拉斯式」的知覺，奇怪的不是他們具有這樣的知覺，而是這樣的知覺如此罕見。不論IQ高低，一個人的靈魂都是和諧的，而且可能所有的心靈都需要去尋找、去感受那終極的和諧或秩序。數學一向被稱為「科學之后」，數學家永遠感受到數字的高度神祕，而數字的能力也很神祕地組成了這個世界。羅素《自傳》的前言，將這一點表達得非常好：

> 我以同樣的熱情尋求知識。我盼望了解人的內心。我想知道為何星光閃耀。我也試著了解

畢達哥拉斯定理的力量，了解為何數字控制了水的溢出。

把雙胞胎這兩個愚人拿來與羅素這樣的智者相比，是有點兒怪。然而，我想，並不是那麼的不恰當。雙胞胎完全活在一個數字的思想世界中。他們對於星光閃爍或人的內心沒有興趣。但我相信，數字對他們而言，絕不只是數字，而是深遠的意義；數字就是意義，所意涵的就是這個世界。

他們不是像大部分的心算家那樣，以膚淺的態度對待數字。他們對於計算既沒興趣，也無能力，所以無法理解。他們毋寧是數字的沉思者，帶著敬畏之心面對數字。對他們來說，數字是神聖的，充滿了意義。就像音樂之於馬丁，數字是他們了解上帝的方式。

不過，數字不只讓他們肅然起敬而已，也是他們的朋友，可能是在他們封閉、孤獨的世界中唯一認識的朋友。在那些對數字有天賦的人身上，也常見到這種狀況。史密斯雖然認為「方法」很重要，卻提出了許多關於此的趣味盎然的例子；拜德曾寫過他的「數字童年」：

我對於到一百的數字相當熟悉，它們變得好像是我的朋友，我知道它們之間的關係，也知道誰跟誰認識。

或者像當代來自印度的學者馬拉瑟所說的：

當我說數字是我的朋友，我的意思是，過去我有時候以好幾種不同方式處理某個數字，常常發現裡頭還存在著全新、迷人的特質……。所以，在計算的過程中，當我遇到一個熟悉的數字，立刻就把它看作是個朋友。

赫爾姆霍茲談到音樂的領受時說道，雖然組成的音符能夠加以分析、拆解，音樂卻是以音符特殊的質地入耳，無法切割。他在此談到超越分析的「複合感知」，那是存在所有音感中不可分析的要素。他將音符比擬為臉孔，認為聽音樂，就像認臉孔一樣，每個人各有其感受的方式。簡單來說，他有相當程度認為，音符，當然也包括調子，事實上就是耳朵所聽到的「臉孔」，能夠馬上像一個人一樣被指認、感受，而且其中還帶著溫暖、情感和個人的關係。

那些喜愛數字的人，似乎也是同樣的情形。數字對他們也是像熟人一樣，看一眼就立刻有個人的反應：「我認得你！」數學家克雷恩說得好：「數字或多或少像是我的朋友。對於3844這個數字，你不會有什麼感受，對不對？對你來說，那只是個3，再一個8，再兩個4。但我會說：『嗨，62的平方。』」

愛之適足以害之

我相信，這對雙胞胎雖然看起來如此與世隔絕，卻是生活在一個充滿朋友的世界中；有百萬、上億的數字，會令他們說：「嗨！」而這些數字也會回一聲「嗨！」只不過，沒有一個數字是自行決斷，就像六十二的平方，也沒有一個數字是以任何普通的方式，或任何我可以想得出來的方式出現（這還是個謎）。

他倆似乎有著直覺的認知，就像天使一樣。他們可直接看見一個數字的宇宙和天堂。這樣的認知，無論多特別、多奇異，我們有什麼資格說那是一種病態呢？數字的世界讓他們的生命自給自足而平靜；試圖去干擾，甚至破壞這樣的世界，可能帶來悲慘的結果。

事實上，在十年後，這樣的平靜遭人打斷並且破壞，因為有人覺得雙胞胎應該分開，這是「為了他們好」，不要讓他們「湊在一起做不健康的溝通」，好讓他們能夠「出來，面對世界……以一種適當的、社會可接受的方式」（醫學和社會學的術語常這麼說）。一九七七年時，他們被分開了，結果可說是很不理想，或者說可悲。兩個人都被遷到中途之家，為了零用錢而從事最卑微的工作，也被盯得緊緊的。他們若經過詳細的指點，給他們一張車票，也會自己搭車；他們可以保持自己儀容的整潔，雖然還是一眼就可以認出他們是低能的人。

這方面是正面的，但也有其負面之處（而且不會在他們的病歷表上看出來，因為一開始就不被當做問題）。被剝奪了彼此用數字溝通的機會，也不再有時間做任何「沉思」或「神交」，他們日復一日匆匆換過一個接一個的工作——失去了奇異的數字能力，也因此失去了主要的快樂與人生的意義。但是無疑地，人們還是認為，為了能過著半獨立，「為社會所接納」的生活，這樣的代價並不高。

有人會由此聯想到對娜蒂雅的治療，她是一個患有自閉症，但擁有繪畫天賦的孩子（見第二十四章）。娜蒂雅也是被強加治療，以便「她在其他方面的能力可以增長」。最後的結果是她開始說話，但同時停止畫畫。丹尼斯對此評論說：「最後只剩下一個天分被奪走的天才，沒有留下任何東西，只有一般的缺陷。對這樣奇怪的治療，我們該作何感想？」

還有一點要補充的是，這樣的天分的確「奇異」，而且也可能自動消失，雖然通常的狀況是會持續一生。在雙胞胎身上，這種天分也不只是一種「機制」，而是他們生命中個人和情感的中心。如今他們被分開，天賦就消失了，對他們的生命而言，再也沒有任何意義或中心了。

後記

羅森菲爾德看過這篇文章後指出，在傳統的數學運算之外，還存在著更高級和更簡單的數學運算。而他懷疑，這對雙胞胎獨特的能力，或許並未反映出他們對這類基本數學的使用。在給我的信函中，他推測，像是史都華在《現代數學的概念》一書中所描述的模數演算法，可能可以說明雙胞胎計算日期的能力：

他們決定八萬年中的日子是一週中的哪一天，可能是一種相當簡單的阿拉伯數字運算。以7來除以當時到現在之間的天數，如果整除，那麼那一天就跟今天一樣；如果餘一，則是往後再推一天；以此類推。要知道，基本的數學都是一種循環：由重複的形式所構成。或許雙胞胎可以看見這種形式，不管他們所見的是簡單的表，或是某種像是史都華書上三十頁中所畫的整數螺旋那樣的「風景」。

獨特的運算

這仍無法解釋為什麼雙胞胎要以質數來溝通。不過日期運算需要有7這個質數。如果將基本數學運用在一般的計算上，只有在以質數來做為除數時，所得的結果才會是循環的形式。由於7這個質數幫助他們找出日期，以及他們生命中某一天所發生的事，他們可能發現其他質數，對那些他們在記憶上至關重要的事，也能同樣產生類似的形式。（當他們說火柴111——37、37、37時，不要忘了，37也是質數，再乘以3這個質數就是答案了。）

事實上，只有質數的形式才能被「看見」。不同質數產生不同的形式（例如乘法表）可能就是他們重複提出質數時，彼此溝通的視覺資訊。簡單來說，基本的數學運算或許幫助他們喚回過去的記憶，結果，使用這些計算所創造出來的模式（只發生在質數上），也對雙胞胎產生了特別的意義。

史都華指出，運用這種模式的運算，一個人會很快地得到特別的解答，速度之快，足以擊敗任何「普通」的算數，特別是想以傳統的方式來找出極大、難以計數的質數（藉由一般所稱的「鴿室原理」）時，更是如此。

如果這樣的方法和視覺是運算方式的話，那應該是一種相當獨特的運算，不是藉由代數，而是藉由空間性的，就像樹、螺旋、建築或「思想的柱子」一般的組織，即一種有形卻也是半知覺、具有心智空間輪廓的運算。

羅森菲爾德的話，以及史都華對於更高深（尤其是這種特別的模式）運算的闡釋，讓我深覺興奮，因為這些話至少有力地點出了（即使不是絕對的答案）原來無法解釋的力量，像在雙胞胎身上所見的狀況。

如此較高深的運算，當年主要是由高斯在一八〇一年，於他的《論運算》當中提出來的。不過直到最近幾年才成為事實。有人必定要懷疑，難道沒有「傳統的」數學運算，也是如高斯所言的深度的數學，是天生就會的，如同瓊斯基所說的語言「深」結構，和繁衍性文法。這樣的運算，在像雙胞胎這類人心中，可能相當動態，甚至活躍，猶如數字的球體或星雲，在無垠無際的心靈天空中，不斷地旋生、演化。

無窮的樂趣

就像我先前說過的，在發表了雙胞胎的故事後，我接到大量的來信、電話，有的來自個人，有的來自科學單位。其中有些特別討論「看見」或數字理解力這個主題，有些人是關心附屬於這些現象的感受力，還有些人則是討論智能不足者一般的特質，和他們的知覺能力，想了解該如何培養或排除這些能力，還有些人提出關於一模一樣的雙胞胎問題。

最有趣的是一些家長的來信；其中，特別罕見且寶貴的，是一些父母親被迫去思考這個問題，去探究原因，並且成功地結合他們對孩子的感情，與深度客觀的理解。派克夫婦就是這樣的一對父母，他們本身有很高的天分，有個資賦優異但是自閉的孩子。

派克家的孩子艾拉，很會畫畫，同時對於數字也相當具有天分，尤其在小的時候格外明顯。她非常著迷數字的「秩序」，特別是質數。這種對質數特殊的感覺，顯然並不罕見。派克太太告訴我，她認識的另一個自閉症孩子，會「不由自主地」在紙上寫滿了數字，「而且都是質數」，她加上一句：「這些數字是進入另一個世界的窗口。」

後來她提到最近與一個自閉症年輕人相處的經驗，那個人也是對因數和質數非常著迷，他立即能感受到這些數字是「特別的」。的確，「特別」這個字一定是用在引導出一種反應：

「這個數字（指的是4875），喬，有什麼特別？」

喬：「它只被13和25整除。」

「另外一個（7241）呢？」

「它可以被13和557整除。」

「而8741又如何？」

「它是個質數。」

派克太太說：「他家裡面沒有人強調質數；那是他自己一個人的樂趣。」

數字的世界

在這些例子裡所不清楚的是，答案怎麼能幾乎在轉瞬間就到手了？這些答案是「算出來的」、「已經知道的」，或者，只是「看到的」？可以確定的是，質數能為這些人帶來特別快樂的感覺和意義。其中某一些似乎跟對於形式之美與均衡的感受有關，但有些則特別與「意義」或「潛力」有所關聯。

在艾拉口中，質數則常被說是「神奇的」：數字，尤其是質數，會喚起特別的思想、影像、感覺與關係，有些幾乎太特別或太神奇了，以致於講不出來。在派克先生的報告中也提到過這點。

哥德爾曾經廣泛地討論數字，特別是質數，做為「標記」的情形，也就是做為想法、人、地方等等的標記；這類哥德爾式的標記，會鋪造出一個「數學性」或「數字化」的世界。如果真的出現這種狀況，很可能雙胞胎或其他和他們一樣的人，不只是活在數字的世界裡，而是他們本身就是以數字的方式存活在這個世界上，他們的數字沉思或遊戲，其實是一種「存在的」冥思，而且，若是人們能了解，或者找到打開他們世界的鑰匙（派克先生有時候找到了），也能與他們進行奇異但是精準的溝通。

第二十四章

自閉畫家的心路歷程

他畫出來的圖，有一種原畫當中所沒有的特殊質感。
舟上丁點大的人，經過放大，
變得更強烈，更有生命力，帶著投入向前的感覺，
這在原畫中常是看不出來的。
所以，它超越了僅是一張複製品的力量，
讓人感受到，他似乎有著清楚的想像力和創造力。
那不只是一艘獨木舟，
而是他個人的獨木舟，此刻正浮出畫面。

我將懷錶遞給荷西，說：「畫這個。」

荷西差不多二十一歲，有人說他智障得無可救藥，早年的時候還患了嚴重的癲癇症，吃了不少苦頭。他長得瘦瘦的，一副很單薄的樣子。

他的不專心、動個不停的情況，猛然停止了。他小心翼翼地拿起錶來，好像那是個避邪物或是珠寶一樣，把它放在面前，然後動也不動，盯著懷錶直看。

「他是個笨蛋，」助理插嘴，「別想問他，他不知道那是什麼，他不會看時間。連講話都不會。人家說他是自閉症，我看根本就是個笨蛋。」

荷西臉色轉為蒼白，或許是受到助理的音調，而不是他的話的影響。助理說過，荷西不會說話。

「繼續，」我說：「我知道你辦得到。」

荷西在絕對的靜默中下筆，完全專注於他眼前的懷錶，其他一切都排除在外。現在，第一次，他看起來無所畏懼，毫不遲疑，身心靈合而為一，而不是心神渙散。他畫得很快，但是非常仔細，線條清楚，沒有塗抹。

我大概都會要求患者，如果可能的話，寫些東西，或畫個什麼。這麼做的原因，有一部分是把它拿來做為粗略而現成的指標，檢測病患的能力。也是藉此讓他們表現自己的「個性」或

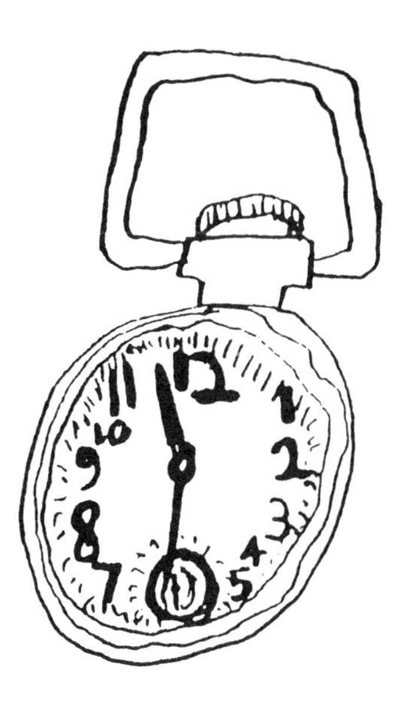

「風格」。

荷西畫的懷錶相當的像，每個細節都沒有漏掉（至少是重要的細節，他沒有畫出「衛斯克錶，防震，美國製」的字樣）；他不只畫了時間（準確地落在十一點三十一分），還包括每一秒的刻度，以及嵌在錶面上的秒針盤。不只這些，還有彎曲的發條轉輪，以及用來繫在鍊子上的梯形把手。這個把手被放大了許多，其他部分的比例都正常。錶上的數字，大小、形狀、樣式都不同——有些胖、有些瘦；有的排成一列，有的夾在當中；某些看起來很單調，有的則樣子花俏，帶點哥德式的味道。而嵌在上頭的秒針，原本毫不起眼，在他筆下變得相當明顯，就像星座鐘或星盤上的小發條。

這個東西的樣子，它的「感覺」，整個都出來了。最令人驚訝的是，如果荷西真如那位助理所言，對時間毫無概念，那他竟然可以畫得這麼傳神。除此之外，他所畫的，還融合了至極的精準感，和奇怪的引伸與變調。

開車回家時，我心頭縈繞著此事，深感疑惑。一個「白癡」？自閉症患者？不，一定還有些別的。

別出心裁的畫風

我沒有再被要求診視荷西。禮拜天晚上的第一通電話，是一次急診。荷西的癲癇發作了一整個禮拜，我在電話上稍微調整了他的抗癲癇藥方。既然他的病情已經「控制住了」，就不再找我。但是關於懷錶的那件事，還是困擾著我，有種神祕未解的感覺。我需要再見他。所以我安排了另一次的診視，想看看他完整的病歷表。看到荷西之前，我只拿到一頁診斷書，記載的東西不多。

荷西一派輕鬆地進了診所，他不知道為什麼要來（或許也無所謂）。然而，當他看到我，臉上綻放笑容。沉悶、漠然的臉龐，我原先印象中的那張面具，在這時候卸下了，露出了一個短暫而害羞的微笑，就像門外透進的一束陽光。

「我一直在想關於你的事，荷西，」我說。他可能聽不懂我的話，但是能了解我的音調。

「我想看你畫更多的畫」，我遞給他一支筆。

這次要他畫什麼呢？我手邊一直有本《亞利桑那高速公路》，這是我特別喜歡的雜誌，裡頭有許多圖片。我帶著它作為神經診斷的工具，用來測試病人。雜誌的封面是一幅風景，兩個人在湖上划著獨木舟，傍著青山和夕陽。荷西從前景開始，畫出靠著水邊一大片幾乎是黑色的剪影，他先打出非常精確的草稿，然後開始畫裡頭的部分。不過這部分顯然應該用水彩筆而不是細字筆來畫。

「跳過去吧，」我說，然後指著：「繼續畫獨木舟。」很快地，荷西毫不遲疑地畫出了人和獨木舟的剪影。他看著人和舟，然後把眼光移開，他們的樣子已經印在他腦中了。接著他快速地用筆把細部畫出來。

在此，讓人留下更深刻的印象，因為整幅景象都在其中了。他的速度和逼真的描繪，真的讓我非常驚歎，尤其荷西是看著獨木舟，然後移開目光，才把它畫下來的。這一點很有力地證明他不只是依樣畫葫蘆而已。助理上次是這麼說的：「他只是複製。」而這也可能意味著，他能夠理解當中的景象，同時，表現了相當的能力，不只是在抄襲，而是有所領會。因為他畫出來的圖，有一種原畫當中所沒有的特殊質感。

舟上丁點大的人，經過放大，變得更強烈，更有生命力，帶著投入向前的感覺，這在原畫中常是看不出來的。一切沃罕認為具有圖象特質的印記——主觀、張力和戲劇性，在他的畫中

都呈現了。所以，它超越了僅是一張複製品的力量，讓人感受到，他似乎有著清楚的想像力和創造力。那不只是一艘獨木舟，而是他個人的獨木舟，此刻正浮出畫面。

注入俏皮的元素

我翻到下一頁，一篇談釣鱒魚的文章，上頭有粉筆畫的水色小溪，背景是岩石和樹木，前景則是一條彩虹鱒即將飛躍出水的畫面。

「畫這個，」我說，指著那條魚。他凝神看著它，好像在對他自己微笑，然後把頭轉開。這一次，帶著明顯的喜悅，他的笑容變得愈來愈燦爛，他畫了一條他自己的魚。

在他畫的時候，我也不自覺地笑了起來。因為現在，他跟我在一起已經很自在了，能夠放開自己，而且逐漸浮現在我眼前的，是帶點狡黠味道的，不只是條魚，而是一條有「個性」的魚。原先的那條魚缺乏個性，看起來死板，沒有立體感，甚至有點像標本。相反地，荷西畫的魚，魚體傾斜、姿態平衡，角度相當立體，比原本的更像隻活生生的魚。

他所畫的，不只是逼真而有活力，其中更添加了某些東西，某些不全然像魚，但非常具表現性的東西：一個大而深陷，如鯨魚般的嘴巴；微微像鱷魚樣的短吻，一隻非常靈動的眼睛，而這些特徵全部加起來，構成了一副相當淘氣的表情。那是隻很逗趣的魚——難怪他會笑——有點兒半人半魚，就像《愛麗絲夢遊奇境》裡面那個青蛙侍者，是個童話角色。

現在我有東西可以繼續了。懷錶的呈現讓我大吃一驚，也引發了我的興趣，不過那還不足以下任何定論。獨木舟表現了荷西令人印象深刻的視覺記憶力，以及更多的其他事情。魚的畫作則顯示了活潑、別具心裁的想像力、幽默感，還有某些符合童話藝術的特質。

質樸卻動人的藝術

當然那不是偉大的藝術，而是一種素民的，或說是小孩子的藝術；但，無疑地，那是一種藝術。而當中的想像力、趣味性及藝術性，絕對是一般人不會對白癡，或者白癡大師、自閉症患者所寄與的期望。至少大部分人是這麼想的。

我的朋友兼同事羅蘋好幾年前見過荷西，那時候他因為「難治的癲癇」來到兒童神經部門。當時，以她豐富的經驗，可以肯定他是自閉兒。對於自閉兒一般的情況，她曾寫道：

少數自閉症小孩很擅長拆解文字性的語言，而且變得高識字能力（編按：聽力理解差但識字佳）或對數字偏執……；自閉症兒童在解答謎題、拆解玩具或解讀書寫內容時有過人的能力，或許反映了其注意力與學習，不正常地集中在非口語、視覺空間的事物上，藉此排除了（或者應該說是因為缺乏）學習口語技能的需要。

謝爾芙博士那本令人讚歎的《娜蒂雅》（一九七八年出版）中，也提到類似的觀察，尤其是繪畫方面。他從文獻中蒐集而得的資料發現，當中所有的白癡大師或自閉型天才所精通或表現特出的地方，都明顯在於計算或記憶，而不在於任何想像性或個人性的事物。如果這些孩子會畫畫，這種情況被認為是很少見的，他們所畫的也只是機械性的。這些文獻對他們的說法是「傑出的孤島」和「破碎的技巧」。個人性在其中毫無餘地，更不用說是一個具有創造性的人格了。

荷西的例子怎麼解釋呢？我必須問自己。他是怎樣一個人？在他身上發生了什麼事？他是怎麼變成現在這種情況的？那是怎樣的情況？有可能採取什麼辦法嗎？

現有的資料既給我幫助，又讓我迷惑——從他的怪病，他的狀況第一次發作到現在，已經累積了龐大的「資料」。我手邊有一大疊病歷表，其中包括早年對他原發疾病的描述：八歲的時候發高燒，併發連續抽搐，而且持續惡化，很快出現腦部受傷或者自閉的狀況（從一開始，醫生就不確定病情究竟如何）。

在病情最嚴重的階段，他的脊髓液有不正常的現象。大家意見一致之處，是認為他可能得了腦炎之類的疾病。其癲癇症狀有很多種——小發作、大發作、運動不能、精神運動性癲癇，這些造成了他的癲癇症格外的複雜。

精神運動性癲癇也會帶來突發的情緒波動和暴力行為，在沒有發作的期間，也會出現怪異的行為（稱之為精神運動性人格）。這些現象，沒有例外，都是與顳葉功能失調或是受損有關。而從多張荷西的腦波圖可以看到，他的左右兩邊顳葉功能都有嚴重失常的狀況。

顳葉也關係到聽覺能力，特別是理解與產生語言的能力。羅蘋不只認為荷西有「自閉」的現象，也懷疑，顳葉失常是否已經造成了「語言與聽覺失能」，即無法辨認講話的音調，以致干擾到他對於使用與理解語言的能力。最驚人的地方，是他逐漸失去說話的能力，或者退化了，所以，原來能「正常」說話的荷西（他的父母發誓說他以前能夠說話），變成了啞巴，從他生病之後，就不再開口。

足不出戶的「大寶寶」

有一樣能力則明顯被「保留」下來了，或許從目前來看是增強了，那就是對繪畫有著不尋常的熱愛和能力。這一點從他年幼時就很清楚，可能還有點遺傳性，因為他的父親也一直很喜愛素描，而他一個年紀大他很多的哥哥，則是個成功的藝術家。

自從荷西發病，得了不可控的癲癇症（一天可能會有二、三十次大規模的發作，還有無數次小抽搐、跌倒、記憶空白或做夢狀態），失去語言能力，整體的智力與情緒都在退化，他陷入了一種奇怪而悲劇性的境地。他無法繼續上學，雖然請了一陣子家教，他還是永遠要待在家裡，成為一個「全職」的抽搐病人、自閉患者，甚至當個不會說話、智障的孩子。他被認為是不可教育，無法治療，可說是沒什麼指望。在九歲那一年，他「退出」了——退出學校、退出社會，退出了一般孩子理所當然會有的一切事物。

十五年來，他幾乎足不出戶，表面上的原因是由於他那「不可控的癲癇」；他母親極力表示，她不敢帶他出門，怕他每天會在街上發作二、三十次。所有抗癲癇的藥都試過了，但是他的抽搐狀況似乎「無藥堪救」：至少，他的病歷表上是這麼寫的。荷西有年長的兄姊，但是他與他們的年紀相差太多，使得他成為一個年近五十的婦人的「大寶寶」。

對於其間這幾年的資料，我們手邊所有的，可說相當的少。實際上，荷西可說是從世上消失了，不只是醫學上，其整個的生活都「無法追蹤」。如果不是因為他最近病況「爆發」得非常猛烈，第一次被帶到醫院，他可能一輩子都消失無蹤，被關在他那間斗室當中。

在那個小房間內，他並非完全沒有內心生活。他特別喜歡看有圖片的雜誌，尤其是自然歷史類的，像是《國家地理雜誌》這樣的刊物，在沒有抽搐的當兒，他會拿起筆來，畫出他所看到的事物。

這些畫或許是他與外在世界唯一的聯繫，尤其是有動物、植物的自然世界。他從小就喜歡大自然，特別喜歡和父親到外頭寫生。這是他唯一被允許保存下來的能力，且成為他與現實的一項聯結。

這就是我得到的故事，或者說，是我從病歷表當中拼湊出來的故事。這些病歷表中所欠缺的，比記載的更不遜色——這些資料，不足的地方，總共有十五年的「空缺」。我的資料來源還包括一位拜訪過他們的社工人員，他對荷西深感興趣，但是幫不上忙；也包括荷西如今年邁、生病的父母親。

不過，若不是他突然爆發猛烈的暴力——一個重擊就能把東西敲碎——使他第一次進了州立醫院，事情永遠沒有真相大白的機會。

這番猛烈的病發，究竟是一次痙攣性的暴力（很罕見的情況下，嚴重的顳葉痙攣會造成這種現象）；或是像他轉診的診斷書上簡單寫著的：只是「精神異狀」；還是一個受苦而不能言的靈魂，一個無法直接表達苦境與需要的人，某種最後、絕望的呼救，原因並不清楚。

可以確知的是，來到醫院，接受了強力的新藥，控制他的癲癇，第一次讓他得到了一些空間與自由，無論身、心都得到了「紓解」。這是他從八歲至今，不曾嚐過的滋味。

招架不住過度的壓力

州立醫院，照高夫曼的說法，常是「萬事包中心」，只會讓病人的病情更加惡化。這種情況當然是有，也不在少數。但是從好處方面來看，州立醫院是「庇護所」，這一點高夫曼就很少提到：是一個收容受苦、受到猛烈煎熬的靈魂的處所，提供他們一個融合了秩序和自由的容身之地。醫院對荷西是個好地方，甚至在其生命遭受危急之際，是救命的地方，無疑地，他自己能完全感受到這一點。

突然離開了一向過度親密的家，他如今發現了別人，發現了一個「專業」而關心他的世界：不論斷、不控告、不泛道德化，保持客觀的距離，但同時真的在乎他和他的病情。這一點（他已住院四個星期），讓他燃起了希望，變得比較有活力，開始轉向他人，這是他過去不曾有過的——至少從八歲自閉症產生以後就沒有過。

不過，希望、轉向人群、互動是「被禁止的」，也無疑是非常複雜而「危險」的。荷西過去十五年都活在受嚴密監控的世界裡，也就是貝特罕在論自閉症患者的書中所說的「空城堡」。不過，那裡對荷西來說，從來不是空的；那裡一直有他所愛的大自然和動、植物。這一部分的他，這一扇門，一直是打開的。但現在有了「互動」的試探和壓力，這樣的壓力來得太快，也太沉重。在這時候，荷西就會「復發」，又會回到自我封閉、回到早先晃個不停的狀況，彷彿想從中找到安慰和安全感。

我第三次見到荷西的時候，不是我找他來診所，而是在沒有事先告知的狀況下，到他的病房區找他。他坐在那個可怕的病房中，搖晃著，他的眼睛閉著，一副退縮的模樣。看到他這副模樣，我心裡一陣驚嚇，因為我原先一直想像著他「穩定康復」的情況。結果，我看到荷西在退縮狀態下的樣子（就像我過去一再看到的），看到在他身上並沒有發生簡單的「甦醒」，有的只是一段艱辛的歷程，而他在其中有著興奮，卻也同樣感受到危險、加倍的困難和害怕——因為他已經愛上他的牢獄了。

畫筆一揮，冬日成春天

我一叫他，他就跳起來，很熱切、很飢渴地跟著我到了畫圖室。我又從口袋中掏出細字筆，因為他好像不喜歡醫院裡用的蠟筆。「你畫的魚，」我的手在空中比劃，不知道我說的話他了解多少，「你記得那隻魚嗎？可不可以再畫一次？」他很熱切地點頭，從我手上拿過筆。他看到那幅魚的圖片，已經是三個禮拜以前的事了。這一次他會畫什麼呢？

他闔上眼睛一會兒，是喚回印象？然後開始動筆。仍然是一隻鱒魚，彩虹斑點，摺邊的魚鰭，還有分叉的魚尾，但這一次有著過度像人的特徵——一個奇怪的鼻孔（哪有魚有鼻孔的？），以及兩片厚厚的嘴唇。我正打算拿回筆，但且慢，他還沒畫完。他在想什麼？魚已經畫好了。

或許魚的樣子是畫出來了，但是景還沒完成。以前那隻魚只有孤單一隻——好像一種象徵，現在則成為世界的一部分。很快地，他畫了一隻小魚，一隻同伴，正要鑽進水裡，一副玩得不亦樂乎的樣子。接著水面也畫出來了，水面掀起一陣浪花。當他畫波浪的時候，變得興奮起來，發出一種奇特、神祕的哭喊聲。

我忍不住有種感覺，一種直覺，覺得這幅畫是有象徵意義的——一隻小魚和大魚，或許是他跟我？但是最重要，也最令人興奮的，是他的自發性、直接的表達，不經我的提示，完全靠他自己，就能在畫中加入新的元素，畫出了生動、嬉戲的景象。在他的畫中，就跟他的生活一樣，過去一直是沒有互動的。現在，即使只是在遊戲當中、在象徵之中，互動已經回來了。是這樣嗎？那憤怒、波動的浪花又是什麼意思呢？

我覺得最好是回到安全地帶；不要再自由聯想。我已經看到他的潛能，但我也看過、聽過他危險的狀況。還是回到安全、像伊甸園般的地方，回到大地之母的懷抱。我找到桌上的一張聖誕卡，一隻知更鳥棲息在樹幹上，四周是枝枒的樹枝，和茫茫白雪。我指著鳥，把筆遞給了荷西。

他把那隻鳥畫得很好，還用了紅筆畫它的胸膛。鳥爪彎曲，緊抓著樹幹（我在此刻與後來都發現，他需要去特別強調手或腳的抓力，好讓接觸的地方看起來很穩，幾乎是死抓著不放）。然而，怎麼回事？樹幹旁邊原本是枯乾的冬天枝枒，在他的畫中不見了，取而代之的，是怒放的花朵。那可能又是另外的象徵，雖然我無法肯定。但是凸顯其中，令人興奮而重要的轉變是：荷西把冬天變成了春天。

透過畫作表達自己

如今，他終於開始說話了，雖然用「說話」來形容還嫌太過，因為他的聲音很奇怪，結結巴巴，大部分聽不清楚在說什麼，有時候還會嚇到他自己，就像嚇到我們一樣。因為所有的人，包括荷西自己，都認為他完全、無可救藥的啞了；不管是能力缺陷或心理問題，或兩者都有，總之就是不會說話了。

而現在這個情況，我們也說不上來是「機能性的」，還是受到鼓舞的結果。我們已經降低了他的顳葉功能混亂的狀況，雖然並沒有完全消除。他的腦電波圖從來不曾是正常的；在這些顳葉的部分，還是有低度的電鳴，有時候有突起、不規則的緩慢波動。不過跟他剛住院時的狀況比起來，已經改善許多了。如果他能除去癲癇的現象，還是無法彌補病症已造成的傷害。

無庸置疑地，我們也同樣增進了他生理上說話的潛能，雖然他使用、了解和辨認語言的能力已經永久損傷了，得要一輩子忍受這種狀況。但是同樣重要的是，他現在正為了他恢復理解與說話的能力而奮鬥（所有的人都在一旁加油打氣，再特別經由一位語言治療師予以指導）；在這之前，他在絕望、受虐的心態下，已經認命了，甚至完全拒絕與人做任何的溝通，不管是口頭的，或其他形式都不願意。語言功能受損，加上不願意說話，在過去使病況更加嚴重；而他重新說話，且願意說話，同時伴隨身體的逐漸康復，則令人感到喜上加喜。

即使我們當中最樂天派的人，也可以看得出來，荷西永遠不可能以正常的方式說話，說話也永遠不會是他表達自己最真實的工具，只能拿來傳達一些比較簡單的需要。他自己似乎也有這點自覺，當他繼續為說話奮鬥的時候，他也畫得更頻繁，透過畫來表達自己。

領略物外之趣

故事的終曲，是荷西搬離瘋狂的管制區，到一個比較平靜的特別病房區，那個地方比醫院其他地方更像家、更人性化：那一區醫護人員的素質與人數，都比其他地區高，是特別設計成

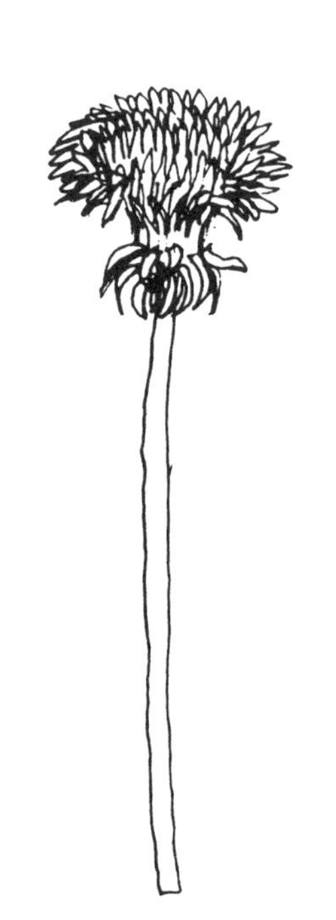

貝特罕所說的「心的家」，因為自閉症患者似乎更需要愛和加倍的關心，而沒有幾家醫院能夠提供這一點。我到這個病房區，他一看到我就用力揮手，那是非常外向、開放的姿態。我無法想像他以前這麼做會是什麼樣子。他指了指上鎖的門，想要打開它，到外頭去。

他領頭走下階梯，到了外頭，走進花木扶疏、陽光遍地的花園。就我所知，打從八歲起，自從開始發病和退縮情況發生後，他就不曾主動走到外頭。我也不需要遞給他筆，他自己拿了一隻。我們繞著醫院走，荷西有時候看著天空和樹木，不過多數時候是盯著他的腳看。他在看腳下成片嫩紫、暈黃的苜蓿和蒲公英。他捕捉植物的形狀和顏色的能力，非常敏銳：很快就看到一朵少見的白苜蓿，又找到一朵更少見的四葉苜蓿。

他發現了七種不同的草，而且，似乎像看到老朋友一樣，一個個地打招呼。他最喜歡的是黃色的大蒲公英，花朵綻放，每個小花球都迎向太陽。這是他的植物——它代表了他的感覺，而為了表達這樣的感覺，他想畫蒲公英。他想要去畫、想透過線條表達崇敬的感覺，來得又快又強烈：他跪下來，把畫板放在地上，抓著蠟筆就畫了起來。

我想，這是自從生病前、小時候父親帶他出去寫生到現在，荷西第一次畫有生命的東西。那是張精采的畫作，精確而生動，顯出了他對真實事物、對另一種生命的喜愛。我心裡面覺得，他的畫很像中古世紀畫作中栩栩如生的植物，可說絕不遜色——雖然荷西對於植物學毫無所知，也無法透過教育來學習了解；但他筆下的花，纖毫畢現、昂然挺立，栩栩如生。

他的心智不是為抽象、概念性的事物而造的。那不是一條可以引導他走向真理之路。但是他對於個別、獨特的事物充滿了熱愛，和真實的能力——他愛它、能深入其中、再創造。而獨特的事物，只要夠獨特，也是一條路，可以說是一條直奔真實和真理的自然之路。

一沙一世界，一花一天堂

抽象、分類性的事物，引不起自閉症患者的興趣；具體的、特別的、單一事物就是他們所有的世界。無論這究竟是容量的問題，還是性情的關係，卻十之八九都是如此。沒有概括的概念，也不喜歡做這方面的思考，自閉患者似乎完全以獨特的事物來組成他們的世界圖象。所以，他們並非身居一個宇宙，而是在詹姆斯所說的「多宇宙」中，其數目是數不盡的，每個都是明明白白，斑斕至極，獨一無二的。這是心靈的一個極端的形式，相對於將所有的事物都予以概化。這樣的心靈也是「真的」，同等的真實，只是跟別人相當的不一樣。波赫士的故事「芙恩斯」中，曾經想像過這樣的心靈（盧力亞《記憶大師的心靈》中也有）：

讓我們忘不了的是，他無法理解柏拉圖式的想法……在芙恩斯豐富的世界中，只有細節，只有當下立即的存在……沒有人……像可憐的依瑞諾那般永不疲倦、日以繼夜地去感受心靈、感受真實的壓迫。

波赫士的依瑞諾如此，荷西亦然。但這並不一定是可憐、無法自拔的狀況：在細微的事物當中，也存在著很深的滿足，特別是當它們閃耀著（就像荷西所能感受到的）象徵的光輝時。

我想，像荷西這樣一個自閉症者，一個頭腦簡單的人，能對具體的事物、對於形式有這麼高的天分，他其實也是以自己的方式，成為一個自然主義者、自然藝術家。他從形式來掌握這個世界，以直接、強烈感受的形式，再將之重新製作。他具有非常實際的能力，但也同樣有比喻的能力。他能夠精準地畫出一朵花、一條魚，也能將它們擬人化，成為一個象徵、一個夢，或一個笑話。而過去大家都認為自閉症的人沒有想像力、不會取樂，更不用說藝術了！

像荷西這樣的人，本來是不存在的；像「娜蒂雅」那樣的自閉症兒童畫家，原本是不應當有的。他們真的是如此罕見嗎？還是大家過去都太視而不見了？丹尼斯在《紐約時報書評》一篇討論娜蒂雅的精采文章中，提出疑問：「這個世界上，究竟還有多少娜蒂雅是被摒棄在外或忽略了，他們得天獨厚的能力被揉成一團，丟到垃圾桶裡，或只是像對荷西一樣，不經三思就將他們當作怪才，孤置一角，認為他們與世界無關，也對世界沒有益處。然而，自閉症患者的藝術天分，他們的想像力，一點也不稀奇。我在十幾年內，沒有特別費工夫去找，就看過十多個例子。」

渴望盡情揮灑自己的色彩

自閉患者，因著他們的天性，很少受外界影響。他們「注定」要與世隔絕，也因此他們所有的都是原創的。他們的「視野」——如果能被外界所見的話——來自內在，呈現原始的面貌。在我的眼裡，他們是我們當中特別的品種，奇異、原創、全然直接發諸內在，跟別人不一樣。我愈看他們，愈有這種感覺。

自閉症過去曾被當作兒童精神分裂症，但其症狀所表現的恰好相反。精神分裂患者的抱怨，都是來自外在的「影響」：他很被動、他被玩弄、無法做自己。自閉症者的抱怨——如果他們會抱怨的話——是他們接受不到影響，完全地自外於世界。

「沒有一個人是孤島，只有自己的存在，」但恩這麼寫道。但自閉症正是如此，它是一座孤島，與大陸切離。「典型」的自閉症，通常在三歲時出現，他們與外在世界這麼早就隔絕了，可能毫無記憶。第二等的自閉症，像荷西這類的，是在長大一點以後，由於腦部疾病所引起。他們腦中還有一些記憶存在，或許還會懷念外在的世界。這可能是荷西比大部分自閉症患者容易親近的原因，也說明了為何他在畫畫時，會有互動產生。

成為一座孤島，與世隔絕，就一定雖生猶死嗎？那可能是一種死亡，但卻不必然如此。雖然失去了與其他人、與社會、文化的「水平」關係，他們仍然擁有重要而密切的「垂直」關係，就是與自然、與真實之間直接的關係，這樣的關係不受外在影響、干預、別人也碰觸不到。垂直的接觸，在荷西身上非常清晰，因此在他的理解和所畫的畫中，呈現穿透性與絕對的清楚，沒有一絲絲模糊或是不直接的地方，那種力量就像火箭直上雲霄，絲毫不受他人影響。

再回到最後的問題：在這個世界，有任何地方可以容納一個像孤島的人嗎？「主流」能夠接納「獨特」，並為它保留空間嗎？在社會與文化對於天才的反應上，也有類似的問題。（當然，我並非指所有的自閉症患者都是天才，只是說，他們跟天才一樣都有與眾不同的特點。）特別要問的是：荷西有什麼樣的未來？會有某個地方能夠運用他的自發性，卻又保持它的完整性嗎？

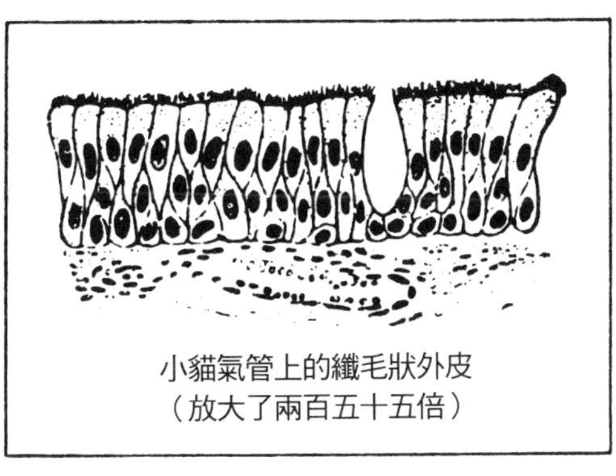

小貓氣管上的纖毛狀外皮
（放大了兩百五十五倍）

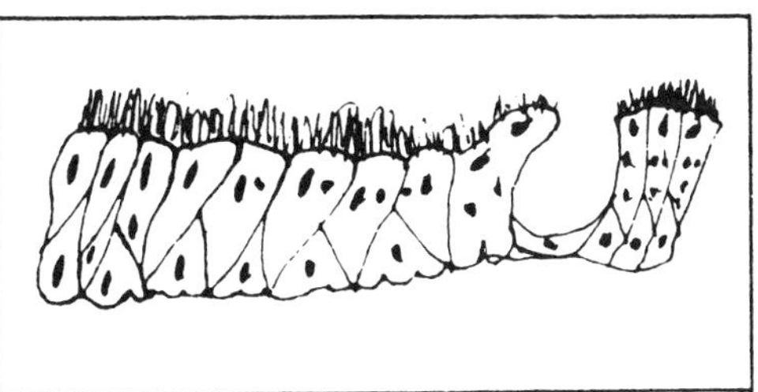

他是否能夠靠著那雙慧眼，和對於植物的熱愛，繪畫園藝插圖？可以成為動物學或解剖學插畫家？（上圖是我讓他看一本教科書上的「纖毛狀外皮」插畫之後，他所畫的圖。）他可以跟隨科學探險隊出去，畫下稀有品種的模樣嗎（他畫圖與做模型的速度一樣快）？他對眼前事物絕對的專注，讓他十分適合這樣的工作性質。

或者，我們來做個奇怪，但並非不合邏輯的思考：以其注重細節，又與眾不同的特質，是否適合從事童話故事、兒童讀物、《聖經》故事或神話故事的插畫工作？或者因為他不識字，只會將字母看成一種純粹的美麗形式，難道他不能去臨摹偉大的手抄本祈禱書和彌撒書？他曾經用馬賽克和染色的木頭，為教會製作過美麗的聖壇裝飾品，也在墓碑上雕刻過精美的字樣。他目前的工作，是幫醫院手印便條紙，他製作出來的成品，就跟精裝本《大憲章》一樣的華麗、精緻。這些都是他做得來，而且做得非常好的工作。

他的成果也會對其他人有用，讓人喜歡，他自己也高興。他都可以做，但是，除非有人能非常了解他，給他機會、方法，引導他、雇用他，否則他什麼也做不來。因為，就像星辰孤處遠方，他也很可能因此虛度一生，一事無成，就像其他許多自閉症者一樣，被丟在醫院的一角，遭人漠視，無人關心。

後記

本篇文章發表之後，我又再次接到許多信件、資料，其中最有趣的一封是來自派克博士（也就是第二十三章所提到的派克太太）。很清楚的一件事是，雖然「娜蒂雅」或許是個特例，她是畢卡索之類的天才，但在自閉症患者身上見到有相當高藝術天分的，其實不在少數。而藝術天分的測驗，例如顧爾瑙的「畫人」智力測驗，對這些人幾乎是派不上用場的。必須像娜蒂雅、荷西及派克的女兒艾拉那樣的，自發性地產出一些傑出的作品。

派克博士對於「娜蒂雅」，有一篇重要且例證豐富的評論。她根據與自己孩子相處的經驗，提出這些畫作可能的基要特質。其中包括負面的特點，例如衍生與刻板印象，以及正面的，例如對於延遲表現的特別能力，以及對事物的詮釋是經由感受（而不是構思）：所以作品中特別顯出一種無邪的靈感。她也指出，他們對於旁人的反應毫不在乎，這會讓這樣的孩子不易受訓練。然而，無庸置疑地，這一點並不是必然的情況。這一類的孩子不一定對於別人的教導或關心沒有反應，雖然可能要很特別的形式才能打動他們。

除了與自己孩子相處的經驗外（她的孩子已成年，成為一位有成就的藝術家了），派克博士也提到日本方面很引人興趣、但是並非家喻戶曉的經驗，尤其是森島和望月這兩個人，他們在教導沒有受過指導（並且似乎教不會）的自閉兒上有卓著的成就；他們使這些孩子發揮所長，長大後成為有成就的藝術家。他們喜歡以特別的教學技巧（「高度結構性技術訓練」，一種早期日本文化中的訓練傳統），再輔以鼓勵繪畫做為溝通的方法。不過這樣正式的訓練，雖然很重要，卻嫌不足。一種最親密、同理心的關係還是需要的。派克博士文章中的結論，或許正合適作為「心智簡單者」這一部的結語：

其中的祕訣可能在於別的地方，在於望月所投入的心力，他甚至帶了一個智障的藝術家住在家中，他寫道：「發展柳春的天分，祕訣在於分享他的精神。老師需要真心關愛這個美麗、誠實的智障者，跟一個純潔、智障的世界共同生活。」

附錄

中英人名對照表

（各章按筆畫順序排列）

序

布洛卡 Broca，法國科學家

自序

巴斯卡 Pascal，法國科學家、哲學家
希波克拉底 Hippocrates，西方醫學之父
克雷姆 Michael Kremer，神經科醫生
馬丁 James Purdon Martin，神經醫學家、《基底核與姿勢》作者
馬克雷 Donald Macrae，醫生
麥肯齊 Ivy McKenzie
奧斯勒 William Osler，醫學教育家、現代臨床醫學之父
盧力亞 A.R.Luria，俄國神經科醫師，《記憶大師的心靈》、《活在分崩離析世界裡的男人》、《人類高層皮質功能》、《運作的腦》作者
羅蘋 Isabelle Rapin，神經學家

第一部導言

巴賓司基 Babinski，法國神經學家
安諾金 Anokhin，俄國心理學家
安東 Anton
李昂迪夫 Leontev
伯恩斯坦 Bernstein
波吒 Potzl
傑克森 Hughlings Jackson，英國神經學家
葛瑞果利 R.L.Gregory，英國心理學家
葛史汀 Kurt Goldstein，神經生物學家

第一章

卓利 Trolle, E
拉奴提 Lanuti
費雪狄斯考 Fischer-Dieskau，男中音
喀特茲 Andrew Kertesz，醫師
奧涅格 Honegger，作曲家
蓓蒂．戴維斯 Bette Davis，女演員
達馬斯歐 A. R. Damasio，神經科教授

第二章

戈德堡 Elkhonon Goldberg，醫師，盧力亞的學生
布紐爾 Luis Buñuel，西班牙超現實主義的電影導演
米勒 Jonathan Miller，醫生，「意識的囚犯」製作者
休姆 Hume，蘇格蘭經驗論哲學家
特凱爾 Studs Terkel，《美好的戰爭》作者
郝吉斯 Jonn Hodegs，牛津大學博士
勞森 Hillary Lawson
賀蒙諾夫 M Homonoff，波士頓榮民醫院失憶症醫師
普魯泰斯 Leon Protass，神經科醫生

第三章

代洛 George Dedlow，米樹爾醫生的病人
米樹爾 Silas Weir Mitchell，美國神經學家
休姆伯格 H. Schaumburg，神經科醫生
維根斯坦 Wittgenstein，哲學家，《論確定》作者

第五章

坎培爾 Roy Campbell
亨利．摩爾 Henry Moore，英國現代雕塑家
查波羅徹 Zaporozhets，《重建手部功能》作者之一

第六章

科爾 Jonathan Cole，脊髓神經生理學家
海德 Henry Head，英國神經學家

第八章

季諾 Zeno，希臘哲學家

第九章

傅雷格 M., Frege

第二部導言

托瑪斯．曼 Thomas Mann，《魔山》、《浮士德》、《黑天鵝》作者
李諾 Leonard L.
艾略特 George Eliot，十九世紀英國女小說家

第十章

巴夫洛夫 Pavlov，俄國生理學家
妥瑞 Gilles de le Tourette，法國神經學家
夏考 J.M. Charcot，法國神經學家，為佛洛依德、巴賓司基和妥瑞的老師

第十二章

吉爾曼 David Gilman，《理平頭的男孩》作者
喬伊斯 James Joyce，愛爾蘭作家

第十三章

波赫士 Borges，《芙恩斯》作者
敦西阿德 Dunciad

第十四章

方戴爾 Feindel，《抽搐》的作者之一
里爾克 Rilke，詩人，著有《馬爾泰手記》
帕金森 James Parkinson，英國醫生，帕金森氏症就是以其名命名
麥格 Meige，《抽搐》的作者之一

第三部導言

杜斯妥也夫思基 Dostoievski，俄國小說家

第十五章

王博士 Dajue Wang，中國神經學者
威爾斯 H. G. Wells，英國科幻小說家，《牆上之門》作者
威廉斯 Dennis Williams
馬爾 Marr, D.
培洛 Perot, P.
莎拉曼 Esther Salamn，《不自主的記憶》作者
普魯斯特 Proust，二十世紀法國小說家
漢生 R.A. Henson，《腦與音樂》的主編
潘懷德 Wilder Penfield，神經外科醫生

第十六章

品特 Harold Pinter，二十世紀英國劇作家
祖特 Zutt
戴柏拉 Deborah，《有點像阿拉斯加》一書中的案例

第十八章

布利爾 A.A. Brill，美國佛洛伊德學派最重要的學者
布雷克 William Blake，英國詩人及畫家
貝爾 David Bear
卻斯特頓 G. K. Chesterton，英國作家、文學評論者以及神學家
普萊斯考特 Prescott，美國歷史學家

第二十章 希德格的異相

辛格 Singer, C.
詹姆斯 William James，心理學家、哲學家

第四部導言

皮亞傑 Piaget，教育心理學家
布魯納 Jerome Bruner
李維史陀 Levi Strauss
修倫 Gershom Scholem
葛之 Clifford Geertz

第二十一章

契訶夫 Chekov，俄國名作家、劇作家
歐基里德 Euclid，希臘數學家

第二十二章

卡魯索 Caruso，義大利著名男高音
希爾 Lewis Hill
沃罕 Richard Wollheim
威爾第 Verdi，義大利歌劇作曲家
華格納 Wagner，德國歌劇作曲家
維斯考特 David Viscott，精神科醫生

第二十三章

巴克斯頓 Jedediah Buxton，心算家
丹尼斯 Nigel Dennis
史密斯 Steven Smith，《偉大的心算者》作者
布朗納爵士 Sir Tomas Browne，英國醫生、作家
史都華 Lan Stewart，英國數學家，《現代數學的概念》作者
托赫 Ernst Toch，奧地利作曲家
克雷恩 Win Klein，數學家
門得列夫 Dmitri Mendeleev，俄國化學家
拜德 George Parker Bidder，英國工程師及計算天才
高斯 Carl Friedrich Gauss，數學家
席維伯格 Robert Silverberg，美國科幻作家
馬蘭奇 Melangio，席維伯格作品裡的人物
馬拉瑟 Shyam Marathe，印度學者
派克夫婦 C. C. Park and D. Park
哥德爾 Kurt Godel，德國著名數學家
奧克利爵士 Sir Herbert Oakley，十九世紀愛丁堡音樂教授
萊布尼茲 Gottfried Wilhelm von Leibniz，德國數學家、哲學家
赫爾姆霍茲 Hermann von Helmholtz，德國生理學家、物理學家
霍維茲 W.A. Horwjtz
達思 Zacharias Dase，數字神童
魏施勒 Lawrence Weschler，作曲家托赫的孫子
瓊斯基 Chomsky
羅素 Bertrand Russell，英國哲學家、數學家。
羅森菲爾德 Israel Rosenfield，歷史學教授

第二十四章

貝特罕 Bruno Bettelheim，心理學家
但恩 John Donne，十六世紀的英國詩人
柳春 Yanamura
高夫曼 Erving Goffman
望月 Motzugi
森島 Morishima
謝爾芙 Lorna Selfe，《娜蒂雅》作者
顧爾瑙 Goodenough

國家圖書館出版品預行編目資料

錯把太太當帽子的人／薩克斯（Oliver Sacks）著.；
孫秀惠譯. -- 第一版. -- 臺北市：遠見天下文化, 2008.08
面； 公分. --（心理勵志；H02）
譯自：The man who mistook his wife for a hat

ISBN 978-986-216-176-0（平裝）

1. 腦部疾病 2. 通俗作品

415.9 97013335

錯把太太當帽子的人

作　　者／薩克斯
譯　　者／孫秀惠
審　　訂／王浩威、劉絮愷
總編輯／吳佩穎
責任編輯／潘慧嫺（特約）、李宜芬
封面暨內頁設計／江孟達

出版者／遠見天下文化出版股份有限公司
創辦人／高希均・王力行
遠見・天下文化 事業群董事長／高希均
事業群發行人／CEO／王力行
天下文化社長／林天來
天下文化總經理／林芳燕
國際事務開發部兼版權中心總監／潘欣
法律顧問／理律法律事務所陳長文律師　著作權顧問／魏啟翔律師
社　址／台北市104松江路93巷1號2樓
讀者服務專線／（02）2662-0012　傳真／（02）2662-0007　2662-0009
電子信箱／cwpc@cwgv.com.tw
直接郵撥帳號／1326703-6號　遠見天下文化出版股份有限公司

電腦排版／立全電腦印前排版有限公司
製版廠／東豪印刷事業有限公司
印刷廠／祥峰印刷事業有限公司
裝訂廠／聿成裝訂股份有限公司
登記證／局版台業字第2517號
總經銷／大和書報圖書股份有限公司　電話／(02)8990-2588
出版日期／2008年8月29日第一版第1次印行
　　　　　2022年11月30日第三版第4次印行

原著書名／THE MAN WHO MISTOOK HIS WIFE FOR A HAT
By Oliver Sacks

定價／450元
EAN／4713510946992
書號／BBPH02C

天下文化官網／bookzone.cwgv.com.tw

天下文化
BELIEVE IN READING